Highlights

IRLAND

50 Ziele, die Sie gesehen haben sollten

THE JEWEL HAVEN
DISCOUNT WORLD
TO LET
12
10

Highlights
IRLAND

Hartmut Krinitz
Jörg Berghoff

BRUCKMANN

Inhalt

Die Farbe Grün und der goldfarbene Ginster prägen die Insel. Mystische Steinkreise finden sich etwa im County Mayo. Livemusik gehört quasi zum Inventar irischer Pubs – wie der Whiskey! Ein Esel, wer sich in Kylemore Abbey nicht wohl fühlt … (v.l.n.r.).

PROVINZEN UND GRAFSCHAFTEN
0
50 km
N
Staatsgrenze
Provinzgrenze
Grafschaftsgrenze
DONEGAL
Lifford
Derry
Antrim
Tyrone
Belfast
ULSTER
Fermanagh
Armagh
Down
Sligo
SLIGO
MAYO
LEITRI
Monaghan
MONAGHAN
Carrick-on-Shannon
Cavan
CAVAN
Dundalk
LOUTH
Castlebar
ROSCOMMON
Longford
LONGFORD
Navan
Roscommon
Mullingar
MEAT
CONNAUGHT
WESTMEATH
DUBLIN
Galway
Tullamore
LEINSTER
Dublin
GALWAY
OFFALY
Naas
KILDAR
Port Laoise
WICKLO
Wicklow
CLARE
LAOISE
Ennis
Carlow
Kilkenny
CARLOW
Limerick
TIPPERARY
KILKENNY
LIMERICK
Clonmel
WEXFORD
Tralee
Waterford
Wexford
KERRY
MUNSTER
WATERFORD
Cork
CORK
Highlights
Dublin und das Landesinnere
Süden und Südwesten
Westen und Nordwesten
Nordküste und Nordirland
North Channel
TORY ISLAND
41
Bloody Foreland
FANAD-HALBINSEL
42
Malin Head
43
Malin
INISHOWEN-HALBINSEL
ARAN ISLAND
Culdaff
Buncrana
Greencastle
Giant's Causeway
GLENVEAGH-NATIONALPARK
Milford
Moville
Portrush
47
Rathmelton
Ballycastle
Portnoo
Grianan of Aileach
Coleraine
Letterkenny
46
Derry (Londonderry)
Ardara
Stranorlar
Antrim Coast
Glens of Antrim
48
Killybegs
Donegal
Bann
49
Donegal Bay
40
NORD-IRLAND
BOA ISLAND
Omagh
Belmullet
Ballycastle
Larne
37
Bangor
45
Lough Erne
44
Antrim
36
ACHILL ISLAND
Keel
Mayo
38
Sligo
Florence Court
Lough Neagh
Ballina
Yeats Country
50
Belfast
Mulrany
Lough Conn
Enniskillen
32
CLARE ISLAND
Clew Bay
34
Newport
Charlestown
39
Armagh
Croagh Patrick
33
35
Castlebar
Carrowkeel
Westport
Boyle
Ulster Canal
31
Killary Harbour
Kylemore Abbey
Downpatrick
Clifden
Leenane
Claremorris
Ballinrobe
Newry
Cavan
30
Maam Cross
Cong
Suck
Longford
Dundalk
ATLANTISCHER OZEAN
Oughterard
Tuam
Roscommon
29
Connemara
Lough Ree
Royal Canal
Castle-pollard
Kells
Dundalk Bay
8
Monasterboice
27
Cashel Bay
28
Boyne Valley
ARAN ISLANDS
Galway
Athlone
Mullingar
7
Drogheda
Newgrange
Kinvarra
Ballyvaughan
26
9
Trim
Tara
5
Burren
Hill of Tara
Cliffs of Moher
Clonmacnoise
25
Lisdoonvarna
Lahinch
Shannon
Tullamore
Grand Canal
10
Corofin
Maynooth
Malahide
Howth
Kilkee
Ennis
Lough Derg
Naas
1-3
Dublin
Roscrea
Kilrush
Kildare
Enniskerry
Bunratty Castle
Mouth of the Shannon
Shannon
Bray
4
Tarbert
Limerick
6
Adare
Glendalough
DINGLE-HALBINSEL
Carlow
Wicklow
LASKET LANDS
Wicklow Mountains
24
Tralee
17
Dingle
Tipperary
Dingle Bay
Kilmallock
Kilkenny
Cashel
Barrow
11
Cahirciveen
Killorglin
Arklow
13
23
IVERAGH-HALBINSEL
22
21
Killarney
Kanturk
Jerpoint
Kellig chael
Waterville
Clonmel
Kenmare
Blackwater
Suir
Macroom
BEARA-HALBINSEL
Wexford
20
Glengarriff
Lee
15
Waterford
Cork
Rosslare
19
Bantry Bay
14
12
Rosslare Harbour
Bantry
Ardmore
Hook Head
Bandon
Cobh
Youghal
18
Skibbereen
16
Kinsale
Mizen Head
St. George's Channel
N
50 km
31 miles

Sehnsuchtsort gefällig? Die Mullaghmore-Halbinsel in der Grafschaft Sligo mit ihren Felsküsten gehört zu den wild-romantischsten Ecken an Irlands Westküste. Auch zum monolithischen Berg Ben Bulben ist es nicht weit.

Safely Home
Solace
Dad

Eine tiefe Spiritualität ist noch heute in vielen Teilen Irlands vorhanden. Zu den heiligen Orten zählt auch St. Brigid's Well im County Clare an der Westküste. Dieser Quelle werden große Heilkräfte nachgesagt.

Ein Sonnenuntergang am Lower Lough Erne in der nordirischen Grafschaft Fermanagh zaubert ein nahezu mystisches Licht hervor. Über rund 80 Kilometer erstreckt sich das Seengebiet des Flusses Erne, ein wahres Anglerparadies.

Irisch-schottischer Brückenbau: Zwei wettstreitende Riesen sollen die 40 000 Basaltsäulen am Giant's Causeway an der nordirischen Antrim Coast gebaut und wieder zerstört haben. Fakt ist: Sie sind 60 Millionen Jahre alt.

Jedes Jahr am 16. Juni, dem Bloomsday, erinnern in der irischen Hauptstadt Dublin Schauspieler in historischen Kostümen an den Schriftsteller James Joyce, hier vor Davy Byrne's Pub (oben). Fünf Häuser, eine Mole und ein Kirchlein: Portbraddan an der Causeway-Küste im Norden des Landes (rechts).

Willkommen in Irland

Die grüne Insel im Atlantik

Verträumte Landschaften und mystische Küstenabschnitte, pulsierende moderne Städte und geschichtsträchtige Orte, Charakterköpfe, Granitskulpturen, Steinkreise und höchst lebendige Geschichtenerzähler vertreiben alle düsteren Wolken, selbst Dauerregen gerät da zum Erlebnis: Wer nach Irland reist, kann sich auf einiges gefasst machen, aber Langeweile ist garantiert nicht dabei.

Das müssen Sie sehen. Achtung, die Tür geht auf, alle Köpfe gleichzeitig nach rechts. Was zum Teufel will der hier in Newry am Sonntagnachmittag? 20 junge Männer, eine Blondine und drei ältere, eher müde getrunkene Senioren mit tief ins Gesicht gezogenen, speckigen Mützen drehen ihr Haupt zur Tür der Bar, einen anderen Namen hat das Pub nicht, wäre auch Verschwendung. Okay, kein Alien hat sich hierher verirrt, der rote Bart sieht eher vertraut aus. Alle Köpfe wieder nach links, Augen rauf, über der Theke läuft im Fernsehapparat, der auch schon bessere Zeiten gesehen hat, Gaelic Football: Tyrone gegen Derry. Jene für uns festlandeuropäischen Ignoranten rätselhafte Sportart, bei der im Gegensatz zum Hurling, da ist der Stockeinsatz erlaubt, nur mit Hand und Fuß gekämpft wird. ... Aber Hiebe hätte es beinahe gesetzt, als der rotbärtige Fremde dann auch noch »Kaffee, bitte« über den Tresen flüstert. Alle Köpfe wieder runter und nach rechts, ruckartig und ohne Kommando. Was? Hat der etwa Kaffee bestellt? Die dunstgeschwängerte Luft, die miefige Düsternis erzittert, Nebelschwaden

Der Südwesten mit Ring of Kerry, Dingle und die Beara-Halbinsel gehören zu den am meisten besuchten Regionen Irlands, und das zu Recht: Der weiße Leuchtturm am Fanad Head (oben) und das Rot der Rhododendronblüten begeistern die Besucher (unten).

drehen Loopings, einigen auf den Barhockern dreht sich der Magen um: Hat er wirklich Kaffee bestellt? Der Mann hinter dem Tresen rollt die Augen, nickt wortlos und verschwindet im Hinterzimmer, nicht ohne vorher ein paar Gläser vollzufüllen mit dem anderen dunklen Stoff. Alle Köpfe jetzt nach unten, Kinn auf den Glasrand, Augen auf den Boden der Pints gesenkt: Unglaublich, was soll nur aus unserem Land werden, unsere Höhle wurde entweiht. Und das am heiligen Sonntag. Wo wir uns doch heute

schon in die Kirche schleppen mussten, weil Mary uns sonst ... Jetzt auch noch das. Die Strafe kam natürlich prompt. Wohin, nach Armagh? Diese Richtung, alle Köpfe drehen sich nach Osten. War natürlich falsch. Überflüssig, weiter zu fragen, denn die zweite Strafe folgte auf dem Fuß: »Sterling oder Euro?«, lautet die abfällige Bemerkung zum Abschied. Wir sind hier schließlich in Nordirland. Den Euro hat er trotzdem genommen und Tyrone gerade einen Dreier erzielt, alle Köpfe zappeln jetzt in diverse Richtungen. Wenn das so weitergeht, werden wir nächsten Sonntag nicht zur Messe gehen, Mary hin oder her.

So oder so ähnlich könnte Ihr erster Kontakt mit Irland aussehen, wenn Sie sich zunächst für eine Reise in den Norden entschieden haben und nach gut einstündiger Fahrt von Dublin aus die Grenze hinter sich gebracht haben. Lassen Sie sich davon nicht täuschen. Selbst in solch traurigen Pubs drohen keine Prügel: Die Herzlichkeit und Gastfreundschaft in ganz Irland wird Sie beeindrucken. Und Ihnen Begegnungen bescheren, an die Sie lange zurückdenken werden.

Irlands Gesellschaft im Wandel

Etwa sechs Millionen Menschen leben heute auf der Insel, davon 1,8 Millionen in Nordirland. Auch wenn die Geburtenrate in den letzten Jahren deutlich zurückgegangen ist, haben sich auf der Insel dramatische gesellschaftspolitische Veränderungen vollzogen. Das einstige Auswanderungsland – noch in den 80er-Jahren des vergangenen Jahrhunderts verließen jährlich rund 30 000 Iren ihre Heimat – ist zum Einwanderungsland geworden. Vor allem Arbeitssuchende aus Osteuropa sind seit der Osterweiterung der EU nach Irland gekommen, angezogen vom Wirtschaftsboom des keltischen Tigers. Nach der Finanzkrise 2009 bringt das für Irland neben den ökonomischen Folgen ganz neue Probleme auf die Tagesordnung: Wollen und können wir die Arbeitsemigranten integrieren? Ging es nicht uns selbst vor gar nicht allzu langer Zeit genauso? Und wie wird der Brexit den Friedensprozess zwischen der

Republik und Nordirland beeinflussen? Irland hat schwierige Jahre erlebt, und einige stehen noch bevor. Inzwischen wandern wieder junge Menschen aus, doch die Iren sind Kämpfernaturen. Große Teile Kontinentaleuropas waren verwundert, als im Juni 2008 fast 54 Prozent der Iren gegen den EU-Vertrag von Lissabon stimmten. Vielleicht hatten sie ihn nur genauer gelesen. Im Oktober 2009 stimmten dann 67 Prozent der Iren dem Vertrag zu, nicht zuletzt weil Brüssel Irland einen eigenen Kommissar und in weiteren Fragen Unabhängigkeit zusicherte. Von einem der ärmsten Länder am Rande Europas zum Musterknaben, von einer konservativ und katholisch geprägten Gesellschaft zu einem liberalen, weltoffenen Land – und das in Rekordzeit –, nicht zuletzt mit EU-Subventionen. Wachstumsraten von neun Prozent gehören inzwischen zwar der Vergangenheit an, im Dezember 2013 konnte Irland den EU-Rettungsschirm aber wieder verlassen. Auch die Ungleichbehandlung in der EU schmerzt: Hier Kürzungen überall, andernorts gewährt man einen Schuldenschnitt.

Mit Optimismus in die Zukunft

Die weltweite Finanzkrise hat auch Irland schwer getroffen, aber die Iren schauen mit der ihnen eigenen optimistischen Grundhaltung in die Zukunft: »Could be worse«, hört man oft, wir hätten uns auch beide Beine brechen können. Denn der keltische Tiger hat in den letzten Jahren auch unübersehbare Werte geschaffen und an vielen Orten zu einer Verbesserung der Infrastruktur beigetragen. Man hat ihm die Zähne gezogen, aber dafür kann man ihn jetzt besser streicheln. An Irland kann man einiges kritisieren, trotzdem ist es ein wunderbares Land. Ganz anders als so viele Länder, die ihre Seele einer touristischen Gewinnmaximierung verkauft haben, obwohl die ihnen den Charakter raubt. Nach einem dramatischen Wirtschaftsboom kehrt wieder Besinnung auf das Wesentliche ein, auf Freundschaften, Traditionen, Werte, Geschichten. Das ist keine Irland-Romantik von gestern, sondern Realität. Das andere, freundliche, manchmal verschrobene Irland mit seinen keltischen Traditionen hat überlebt. Und an den hier vorgestellten Orten werden Sie es finden und dabei feststellen, dass es völlig unerheblich ist, ob Sie Kaffee, Tee, Limonade, Bier oder Wein im Pub bestellen und ob Sie mit Euro, Pfund, Dollar oder Rubel bezahlen wollen: Solange Sie eine gute Geschichte parat haben, nimmt Ihnen keiner etwas übel. Allein die Bereitschaft, auch etwas von sich zu erzählen, öffnet in Irland Türen und Herzen.

Pferdesport genießt im ganzen Land einen hohen Stellenwert, wie hier im County Mayo. Früh übt sich, ist hier das Motto.

Dublin und das Landesinnere

Im Herzen der Insel

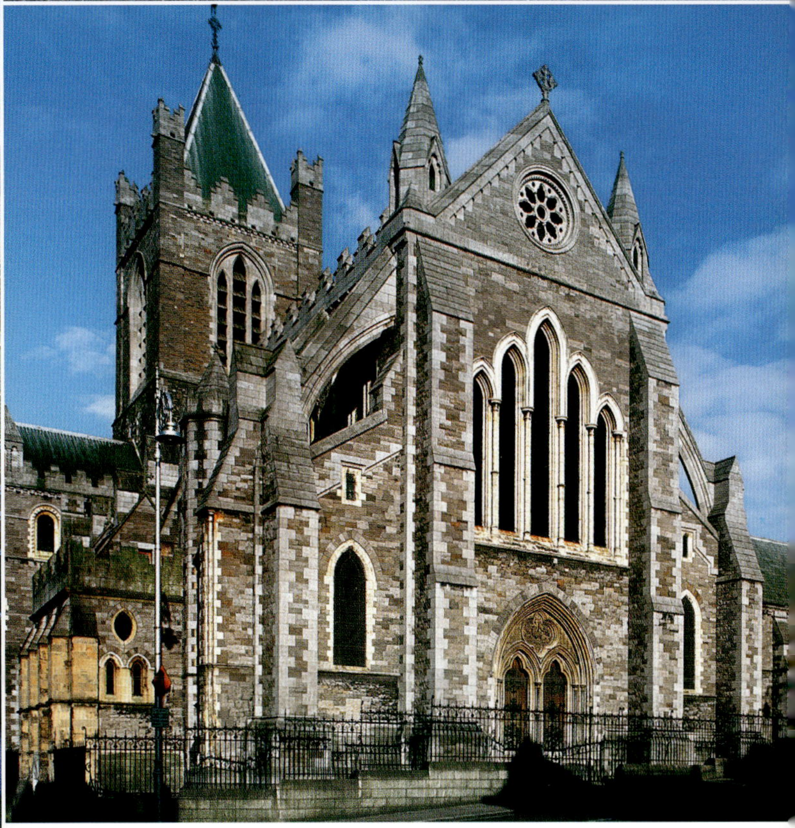

Dublins Halfpenny Bridge ist eine von zwei Fußgängerbrücken über den Fluss Liffey (links). Im Landesinneren findet man überall Ornamente aus dem Leben der Mönche und Bauern (oben). Die Christ Church Cathedral geht auf das Jahr 1038 zurück (unten).

John McCormack aus Athlone war nicht nur ein gefeierter Tenor. In den 1920er-Jahren zog er sich von den Opernbühnen zurück und widmete sich auch dem irischen Volksliedgut.

Toureninfo

Start: Dublin
Ziel: Glendalough – Clonmacnoise – Monasterboice
Länge: 480 Kilometer
Dauer: 6 Tage
Beste Reisezeit: Vom Frühling bis in den Sommer und den Herbst hinein.
Sehenswertes: Auf dem Weg nach Athlone ein Stopp in der Kilbeggan Whiskey-Brennerei einlegen.
Unterkunft: Wer sich mehr Zeit nehmen will, den Zauber im Tal der zwei Seen zu ergründen, kommt am Glendalough Hotel nicht vorbei. www.glendaloughhotel.com

Weitere Infos

In Irland wird links gefahren. Das ist weniger beängstigend als mancher denkt. Beinahe automatisch ist man höchst konzentriert, und selbst das Schalten mit der linken Hand geht leichter als gedacht. Aber Vorsicht: Ab dem dritten Tag meint man: Ich kann es doch, und findet sich plötzlich auf der falschen Fahrbahnseite wieder.

Route von der Ostküste zur Mitte

Ankommen und staunen

Die meisten Irland-Reisenden erreichen die Insel am Flug- oder Fährhafen in der Hauptstadt Dublin. Viele davon rauschen sogleich an die Westküste, von Kerry bis Donegal stehen die wilden Küstenlandschaften auf dem Programm. Gut, kann man so machen, aber auch der Osten und die Mitte haben einiges zu bieten.

Dann staunt man nur noch: Ankunft am Dublin Airport abends um zehn. Elf Stunden verspätet, weil die Anschlüsse in Kontinentaleuropa nicht funktioniert haben. Treff- und Zeitpunkt der Wagenübernahme natürlich verpasst, Weiterfahrt offen, nach 16 Stunden auf Bahn- und Flughäfen sinkt die Laune gen Gefrierpunkt. Bis Sean auftaucht ... mit einem Schild um den Hals und breitem Grinsen im Gesicht: »Are you the german guy that came by Postkutsche?« Ja, der bin ich und nicht gerade zu Scherzen aufgelegt. Doch sein Lachen ist so herzlich wie erheiternd: Stell dir vor, du wärst in einer anderen Stadt auf einer anderen Insel gelandet, dann hättest du ein Problem. Jetzt bist du zu Hause. Unweigerlich wird man erfasst von einer Welle der Sympathie, die jedem Ärgernis die Luft nimmt. Das alles ist keine Einbildung, sondern sind Bilder und Begegnungen, die jeder erleben kann, der den Fuß auf die Insel setzt und sich auf den Weg macht, Irland zu entdecken.

Ab in die Mitte

Hat man dann irgendwann sein Fahrzeug abgeholt und die lebendige Hauptstadt **1 Dublin** für ein paar Tage erkundet, lohnt es sich, erst einmal die Umgebung Dublins und Teile der Ostküste zu entdecken. Mit dem Begriff »Ancient East« ist dieser Teil der grünen Insel treffend beschrieben: Hier liegen die bedeutendsten Wurzeln irischer Geschichte, Mythen und Kultur. Man kann auf durchweg gut ausgebauten Straßen zuerst gen Süden fahren, sich das berühmte **4 Powerscourt** und danach **6 Glendalough** in den Wicklow Mountains ansehen, dann über die M7, die N52 und die M6 in die geografische Mitte Irlands, nach Athlone fahren und von dort einen Abstecher den **10 River Shannon** entlang bis zur Klostersiedlung **9 Clonmacnoise** unternehmen.
Die rund 15 000 Einwohner zählende Kleinstadt Athlone liegt am südlichen Ende des Lough Ree, etwa 130 Kilometer westlich von Dublin. Athlone ist ein Verkehrsknotenpunkt und seit vielen Jahrhunderten der wichtigste Übergang über den Fluss Shannon. Der westliche Teil liegt im County Roscommon, der größere, östliche Teil im County Westmeath, doch das interessiert hier kaum jemanden. Athlone gibt sich geschäftig, es wird gebaut, renoviert, modernisiert, eine deutlich spürbare Aufbruchsstimmung liegt über dem Ort. Hier lohnt sich ein Rundgang auf den Spuren des berühmten Sohnes der Stadt, John Count McCormack (1884–1945), der Tenor war nicht nur in Amerika, sondern auch auf den Opernbühnen Europas ein gefeierter Star. Auch Athlone Castle sollte man besichtigen, die normannische Burg wurde 2013 in ein erlebenswertes Museums- und Besucherzentrum verwandelt, das mit moderner Präsentation die bewegte Geschichte der Stadt lebendig werden lässt. Besonders der Ausstellungsbereich über die große Belagerung Athlones von 1690 als Teil des Europäischen Krieges zwischen den Anhängern des protestantischen Königs Wilhelm von Oranien und den Jakobiten, den Unterstützern des entthronten Königs James von England, wird hier audiovisuell ergreifend dargestellt.
Zurück in Richtung Dublin über die M6 und M4 geht es bis Kilcock und dann auf kleinen Nebenstraßen zum **5 Hill of Tara**, ins **7 Boyne Valley** und zur im 6. Jahrhundert gegründeten Klosteranlage von **8 Monasterboice**. Nach rund einer Woche erreicht man dann wieder Dublin.

In Dublin beginnt und endet diese Route, und es käme natürlich einer Verschwendung oder gar einem Frevel gleich, würde man sich nicht etwas Zeit nehmen, die pulsierende Hauptstadt Irlands zu erkunden. Die einen kommen wegen der Kunst, der Musik und der Literatur, die anderem wegen einer großen Sportveranstaltung. Die meisten Besucher lieben die ausgeprägte Pub-Kultur und den vielfältigen Festivalkalender, der das ganze Jahr hindurch kaum einen Wunsch offen lässt. Ein Tipp: Dublin bietet gerade auch im Winterhalbjahr eine Vielzahl an Möglichkeiten, ohne »overtourism« das Leben einer charmanten Metropole zu genießen.

Eine Skulpturengruppe in Dublin am Liffey erinnert an die große Hungersnot im Jahr 1845 (oben). Dublin Castle ist mehr Schloss als Burg (rechts unten), und am General Post vollzog sich der Osteraufstand von 1916 (rechts oben).

1 Stadt am Liffey – Dublin

Die Stadt der Dichter

Dublin, die Hauptstadt der Republik Irland, hat sich zu einer europäischen Metropole ersten Ranges entwickelt. Weltstadtambiente mischt sich mit nationalem Selbstbewusstsein und regionalem Charme. Neben der großen literarischen Tradition gibt es aber auch nicht minder interessante Gruselgeschichten, »Dublin in the dark« sozusagen, eine amüsante Exkursion zu den Vampiren.

Dublin ist groß geworden und dennoch klein geblieben. Es will kosmopolitisch erscheinen und bewahrt trotzdem irische Traditionen. Eine davon ist die Wertschätzung seiner Schriftsteller, und so trifft man überall auf die Spuren der Literaten. Wenn am 16. Juni der Bloomsday gefeiert wird, ist die ganze Stadt auf den Beinen, um James Joyce und seinem Jahrhundertroman *Ulysses* zu huldigen, der diesen einen Tag im Leben des Leopold Bloom beschreibt. »Ich schreibe immer über Dublin, denn wenn ich zum Herzen von Dublin vordringen kann, kann ich zum Herzen aller Städte der Welt durchdringen«, sagte einmal James Joyce, der zeit seines Lebens in einer Art Hassliebe mit seiner Geburtsstadt verbunden war. Die Halbwelt der Nacht, der Spelunken und Bordelle ist Hauptschauplatz des Romans, hier dringt Bloom alias Joyce in das Herz Dublins vor. Heute erscheint die Stadt freundlich und hell, nicht nur in Vorzeigestadtteilen wie Temple Bar oder Smithfield Village. Doch Licht gibt es nicht ohne Schatten, manch heitere Lebensfreude nicht ohne düstere Vergangenheit. Und dieser dunklen Seite kann man hier am Tage wie am Abend auf schaurig-amüsante Weise einen Besuch abstatten.

Auf den Spuren Draculas

Um Herzen, Obsessionen und die Faszination der Nacht geht es auch in einem anderen

Die Anlieferung per Pferdewagen ist für den Straßenmarkt in der Moore Street nicht ungewöhnlich (oben). Die Türen am Fitzwilliam Square sind sehr elegant (unten). Das klassizistische Zollhaus am Liffey wurde Ende des 18. Jahrhunderts von James Gandon errichtet (rechts).

Roman der Weltliteratur, den ein anderer Sohn Dublins geschrieben hat und der zum meistverkauften Buch weltweit nach der Bibel geworden ist: Abraham Stokers *Dracula*. Selbst viele Iren wissen nicht, dass Stoker (1847 bis 1912) in Clontarf geboren wurde, jenem geschichtsträchtigen Vorort Dublins, den man besuchen sollte. Allein *The Casino in Marino* ist eine Besichtigung wert, zählt es doch zu den schönsten neoklassizistischen Gebäuden des 18. Jahrhunderts in Europa. Entworfen wurde es von Sir William Chambers für seinen Freund James Caulfield, den ersten Earl of Charlemont, der sich hier seinen Traum von Ästhetik errichten ließ. Was ihn übrigens ruinierte: Caulfield starb 1799, völlig verarmt. Die Bucht, an dem die »Spielhölle am Meer« einst stand, ist inzwischen trockengelegt, doch sie inspirierte Bram Stoker zu seinem Roman. Was Dennis McIntyre, Gründer der Stoker's Dracula Organization, auf seinen Touren zu den Plätzen stokerscher Jugend eindrucksvoll belegt.

Bewegtes Leben

Im Marino Crescent 15 in Clontarf wurde er geboren, die rote Tür bleibt allerdings verschlossen, die heutigen Besitzer wollen nichts mit Stoker zu tun haben. Geöffnet hat allerdings die Bram Stoker Dracula Experience, ein Museum, das sich auf spektakuläre Weise der Gruselwelt Draculas, aber auch Leben und Werk Stokers widmet. Als Kind hat Stoker oft Leichen in der St. Michan's Church gesehen, weil seine Familie dort eine Gruft besaß. Die für über 600 Jahre einzige Pfarrkirche nördlich des Liffey, in der Händel seinen *Messias* probte, kann man besichtigen, inklusive Mumie eines Kreuzfahrers und Totenmaske des Rebellen Wolfe Tone in der Krypta. Bram Stoker, der das Wort *undead* in die englische Literatur einführte, ist bis heute für viele ein Rätsel: »Irgendwie sind wir alle doch ein bisschen eifersüchtig auf Vampire, obwohl wir sicher keiner sein wollen mit all dem Geruch und dem Zeug drum herum. Aber hätten wir nicht gerne etwas davon, was er im Buch beschrieben hat mit ›Time is on my side‹?«, schmunzelt Dennis McIntyre auf dem Friedhof von St. John the Baptist in Clontarf, der Ort, an dem Stoker getauft wurde. Auch in der Innenstadt gibt es Spuren: In der Kildare Street 30 hatte Stoker seinen ersten Wohnsitz im Stadtzentrum, in der Harcourt Street 16 wohnte er neben seiner späteren Frau Florence Balcombe. Und im Trinity College sollte man nicht nur das berühmte *Book of Kells* bewundern, sondern auch einen Abstecher in den Bram Stoker Room wagen, schließlich war er hier Vorsitzender der Philosophischen Gesellschaft.

Oder sich von Denis McCarthy, dem Marketing Manager in Dublin Castle, erzählen lassen, wie Bram Stoker 1870 seinem Vater und Großvater folgte und hier Beamter und Friedensrichter wurde – eine Anstellung, die er hasste.

Mit den Bus-Geistern unterwegs

Wenn es dunkel wird an der O'Connell Street, abends um acht, startet »The Dublin Ghost Bus Tour«, ein skurril-gruseliges Vergnügen. Ein lila bemalter Bus samt Ghost-Guide zeigt all die Plätze, an denen Dublins Gespenster ihr Unwesen trieben. Francis als *helldriver* und Brad, der *storyteller,* lassen zwei Stunden lang das düstere Gesicht Dublins lebendig werden. Da erfährt man, dass Vampire mit Pfahl im Herzen begraben werden müssen, in Dublin aber auch Beerdigte heimlich wieder exhumiert wurden: von den *body snatchers,* den »Körperschnappern«. Dublin war zu Beginn des 18. Jahrhunderts ihre Hochburg, weil es über 15 pathologische Institute gab, die alle zu Studienzwecken Leichen brauchten. Offiziell bekam jedes Institut sechs pro Jahr von den Behörden zugewiesen, das reichte noch nicht einmal für eine Woche. Also blühte der Schwarzmarkt. Alle möglichen Gestalten trieben sich des Nachts auf den Dubliner Friedhöfen herum, gruben mit Schaufeln und Seilen die Beerdigten wieder aus. Erst im Jahr 1832, als es ein neues Gesetz gab, wonach man seinen Körper bereits zu Lebzeiten an die Wissenschaft verkaufen konnte, endete der Spuk.

Bier im Blut

Dublin also Dracula-Country? Keineswegs, auch wenn das Wort Dracula von dem alten irischen Wort *drachfhola* abstammen soll. Was so viel bedeutet wie »schlechtes Blut« trinken. So gesehen ist das schwarze irische Bier mit dem großen G die reinste Erholung. Und das hat garantiert nichts mit Geistern zu tun. Das Geheimrezept des Arthur Guinness kostet man am besten am Hauptsitz in der Brauerei St. James Gate in Dublin. Dort befindet sich neben den Produktionsstätten auch das neue Besucherzentrum, das architektonisch wie präsentationstechnisch hochmoderne Guinness Storehouse. Im obersten Stock, mit dem Pint in der Hand, der übrigens nicht extra bezahlt werden muss, genießt man dann den herrlichen Rundblick über Dublin und verleiht seiner Fantasie (Vampir-)Flügel. Dublin einmal anders – *sláinte!*

DUBLIN SPORTLICH

Nicht nur für eingefleischte Sportfans ist der ehrwürdige Croke Park im Stadtteil Drumcondra, zugleich Sitz und Stadion der GAA (Gaelic Athletic Association) und Museum, einen Besuch wert: In lebendig gestalteten Ausstellungen erfährt man alles über die traditionellen irischen Sportarten wie Hurling und Gaelic Football, die bis heute gepflegt werden. Im Museum werden nicht nur die Spielregeln erklärt, sondern auch geschichtliche Ursprünge und gesellschaftliche Aspekte behandelt. Gaelic Football wird übrigens wie Rugby mit Händen und Füßen gespielt, Hurling mit einem Holzschläger. Und die weibliche Variante des Hurling heißt Camogie.

WEITERE INFORMATIONEN

Visit Dublin Centre, 25 Suffolk Street, Dublin 2, Tel. 18 90 324 583, www.visitdublin.com

Croke Park, Jones' Road, Dublin 3, Museum: Mo–Sa 9.30–17, So 10.30–17 Uhr; Führungen täglich, www.crokepark.ie

In vielen Dubliner Pubs sind nicht nur die Getränke, sondern auch der Barkeeper die Stars (oben). Hinter der ehrwürdigen Fassade der Quay's Bar gibt es traditionelle irische Speisen (rechts unten).

2 Das große Krabbeln – Dublin Pub Crawl

Hauptsache *craig* und durstig

Public Houses **gehören zu Irland wie das wechselhafte Wetter. Beides ergänzt sich ideal, gibt ein kräftiger Schauer doch genügend Anlass, Unterschlupf zu finden im Pub an der Ecke, dabei den Durst zu löschen und alle Neuigkeiten zu erfahren, die von Bedeutung sind. Und wenn die Sonne richtig strahlt, muss ebenso für Flüssigkeitsnachschub gesorgt werden, im Pub natürlich. In Dublin kann man von Pub zu Pub krabbeln, literarisch und musikalisch, ganz nach Lust und Laune.**

Ein großartiges Puzzle«, lässt James Joyce in seinem weltberühmten Roman *Ulysses* seinen Helden Leopold Bloom aussprechen »wäre es, Dublin zu durchqueren, ohne an einem Pub vorbeizukommen«. Wahrscheinlich ist das gar nicht möglich, denn über 700 Pubs zählt man in ganz Dublin heute. Man braucht also nicht lange Ausschau zu halten, an der nächsten Ecke wartet schon das Glück. Wem die Auswahl angesichts dieser Vielfalt schwerfällt, der kann auf geführten Pub-Touren einige der traditionellsten *Public Houses* kennenlernen. Nicht minder interessant sind die »Öffentlichen Wohnzimmer« in den unbekannteren Vierteln am Stadtrand.

Pubs erkrabbeln – literarisch

Dublin und seine Pubs genießen einen legendären Ruf, sie prägen noch heute das soziale, politische, intellektuelle und künstlerische Leben der Stadt wie sonst in keiner anderen Metropole der Welt. Sie lösen soziale Grenzen auf, können Protestmärsche anzetteln und liefern reichlich Stoff für Romane, Gedichte und Theaterstücke. Sie sind vielfältig, bunt und düster zugleich, haben alle Geschichten zu erzählen, wie etwa der legendäre The Brazen Head in der Lower Bridge Street, die bis ins 12. Jahrhundert zurückreichen, die meisten stammen allerdings aus dem 19. Jahrhundert. Pubs waren und sind eine

Art verlängertes Wohnzimmer der Iren, in dem man schnell Kontakt findet, integriert wird und Geschichten zu hören bekommt, die alle mit *craig* zu tun haben: fröhlicher Geselligkeit, lebhaftem Austausch, gastfreundlicher Kumpanei und hintergründigem Witz. Den erwandert – am Ende vielleicht eher erkrabbelt – man sich am besten auf dem Dublin Literary Pub Crawl, der die interessantesten Pubs der Hauptstadt mit literarischer Vergangenheit und Gegenwart verbindet. Schauspieler, Schriftsteller und Poeten erzählen, rezitieren, besingen und beglücken die Teilnehmer dabei mit Gedichten, Prosatexten und manchem Joke zu den besuchten Wohnzimmern, die Dublins literarisches Leben auferstehen lassen.
Der Rundgang zu Theken, Pints und Storys startet in der Duke Street, natürlich im Duke Pub, in dem große Literaten wie James Joyce, Brendan Behan und Patrick Kavanagh verkehrten. Er führt zu Pubs wie McDaids, ins Neary's und die Palace Bar, nicht zu vergessen Davy Byrne's. Dort waren in den 1920er-Jahren auch die Anführer der Befreiungsbewegung wie zum Beispiel Michael Collins gern zu Gast, galt er doch als *moral pub.* Nach so viel Samuel Beckett, Flann O'Brien, Oscar Wilde und George Bernard Shaw wird man dann dem eigenen Umherkrabbeln überlassen, nicht ohne noch zwei Zeilen von Patrick Kavanagh mit auf den Weg zu bekommen: »Go into a pub and listen well, if my voice still echoes there ...«

Pubs erkrabbeln – musikalisch

Was unsere Schreiberlinge können, das können wir auch, dachten sich Dublins Musiker und kreierten einen eigenen, nämlich den Traditional Irish Musical Pub Crawl, der im ersten Stock des stets überfüllten »Oliver St. John Gogarty« mitten im Vergnügungsviertel Temple Bar startet. Bei dieser Version des Pub-Krabbelns sind zwei professionelle Musiker dabei, die nicht nur die Geschichte der irischen Musik zum Besten geben, sondern auch Lieder und Melodien, die ins Ohr gehen. Selbst der Einfluss der traditionellen irischen Musik auf moderne Stilrichtungen wird erklärt und an Klangbeispielen den Musikliebhabern nahegebracht. Dabei werden legendäre Musik-Pubs wie The Ha'Penny Bridge Inn, Brannigans, The Bankers, Stags Head, Palace Bar und Sin É besucht. Die zweieinhalb Stunden vergehen wie im Flug, ohne mehrere Zugaben kommen die Musiker niemals davon. Und die Gäste nicht ohne *last order.*

G IST GUT FÜR DICH

Antigua, Barbados, China, Elfenbeinküste, Jamaika, Kanada, Gambia, Neuseeland und natürlich Australien – das ist keine Länderliste eines Weltenbummlers und auch kein neuer Staatenbund. Und dennoch haben die Menschen dort alle etwas gemeinsam: In ihrem Land wird ein Getränk ausgeschenkt, das sich zum irischen Exportschlager gemausert hat. Die Rede ist von Guinness, jenem dunklen, dickflüssigen, durstlöschenden Dauerdröhnstoff, den manche immer noch für ein ganz normales Bier halten. Guinness ist zur Legende geworden, ein Mythos aus Wasser, Gerste und Hopfen, wie es ihn kein zweites Mal auf der Welt gibt. In über 150 Ländern der Erde fließt es aus den Zapfhähnen. In 50 Ländern, von den Bahamas bis nach Vietnam, wird es gebraut, von Curaçao bis Simbabwe verkauft. Welcher Pooka hat da seine Geisterkollegen in die Welt geschickt? Der Zauber jedenfalls funktioniert – Globalisation by Feen, Elfen, Banshees, Leprechauns und Cluricanes.

WEITERE INFORMATIONEN

Dublin Tourist Office, St. Andrews's Church, Suffolk Street,
Tel. (01) 605 77 00
Literary Pub Crawl,
www.dublinpubcrawl.com
Musical Pub Crawl,
Tel. (01) 475 83 45,
www.musicalpubcrawl.com
Guinness, www.guinness.com

Das Café en Seine in der Dawson Street, ganz im Art-déco-Stil eingerichtet, ist Pub, Restaurant und Club-Bar in einem.

EN SEINE

Über die 200 000 ledergebundenen Bücher des Trinity College wacht der Bibliothekar (oben). Der mächtige Campanile von 1853 strahlt erhabene Ruhe aus (rechts unten).

3 Legendär – Dublins Trinity College

Staunend studieren in Irlands ältester Universität

Nur einen Steinwurf südlich des Liffey am College Green versammelten sich einst die Wikinger, später Mönche, danach Politiker und nun Studenten aus aller Welt. In den ehrwürdigen georgianischen Gebäuden ist heute die älteste und renommierteste irische Universität, das Trinity College, untergebracht. Der protestantisch-strenge Geist des ausgehenden 16. Jahrhunderts ist einem weltoffenen Studienangebot gewichen, das auch keine Konfessionsunterschiede mehr macht.

Die Gebäude der im Jahr 1592 von Elisabeth I. gegründeten Universität verteilen sich über zwei Quadratkilometer und schließen den Campus und einen öffentlich zugänglichen Park ein, der dem ganzen Ensemble einen beinahe heiteren Charakter verleiht. Wäre da nicht das Kopfsteinpflaster gleich hinter dem Hauptportal, das einen daran zu erinnern scheint, dass der Weg zum Wissen hügelig und mühsam sein kann. Abgeschreckt hat das allerdings kaum jemanden. Hier studierten und unterrichteten nicht nur viele Geistesgrößen wie der Philosoph Edmund Burke und der Dichter Oliver Goldsmith, deren Statuen am Eingang das College bewachen. Auch Jonathan Swift, Samuel Beckett, Bram Stoker, Wolfe Tone und John Millington Synge gehören in diese Reihe. Heute zählt das Trinity College über 16 000 Studenten. Ob ein weiterer Literaturnobelpreisträger darunter sein wird, weiß man natürlich nicht, an Vorbildern mangelt es den Studierenden im Trinity College jedenfalls nicht.

Bildung für die Iren

Höchste geistes- oder sozialwissenschaftliche Weihen hatte Elisabeth I. wohl kaum im Sinn,

als sie die Bildungsstätte ihren irischen Untertanen schenkte. Diese sollten vielmehr davon abgehalten werden, auf der Suche nach Bildung auf dem Kontinent mit dem Virus des Papsttums infiziert zu werden und dann nach ihrer Rückkehr die Insel mit dem Katholizismus zu vergiften. Auf lange Sicht war das nicht erfolgreich, verhinderte aber immerhin bis 1793, dass Katholiken am Trinity College studieren konnten. Danach legte die katholische Kirche in Irland bis in die 1960er-Jahre ihr Veto ein, denn ihr waren die protestantisch geprägten Lehren zu liberal und freisinnig. Frauen durften ab 1903 am Trinity College akademische Würden erlangen.

Im ersten Innenhof sticht sogleich ein imposanter, 30 Meter hoher Glockenturm ins Auge, der 1853 hier errichtet wurde, an jener Stelle, an der das alte Augustinerkloster einst stand. Die Kapelle und die Examination Hall links und rechts des Haupteingangs wurden vom Architekten Sir William Chambers im 18. Jahrhundert errichtet, der unbestrittene Star ist allerdings der Bibliothekskomplex mit acht Gebäuden, darunter die berühmte Old Library mit dem Long Room, der 200 000 in Kalbsleder gebundene Bücher und Handschriften enthält. Die Bibliothek ist nicht nur die größte des Landes, sie ist auch eine der ältesten Forschungsbibliotheken der Welt. So umfasst die Büchersammlung inzwischen an die 4,5 Millionen Ausgaben.

Seereise nach Australien

Die ganz in der Nähe befindliche Shoppingmeile Grafton Street und das Pub-Viertel Temple Bar mögen den einen oder anderen zu einer verlängerten Vorlesungspause locken, alleine der Botany Bay Tennis Court hinter dem Graduates' Memorial Building dürfte Mahnung genug sein, den Studiengang nicht allzu locker zu nehmen, auch wenn die Sanktionen heute sicher nicht so drastisch ausfallen wie in vergangenen Zeiten. Da wurde, so erzählt es die Legende, mit den an diesem Platz wohnenden aufsässigen Studenten kurzer Prozess gemacht: Sie bekamen eine kostenlose Seereise zur gleichnamigen australischen Sträflingskolonie an der Botany Bay. Da lassen sich die Studenten von heute lieber ab und zu im Reading Room oder vor dem Provost's House des College-Vorstehers blicken als in der Temple Bar, es sei denn, man hat ein Stipendium in Sydney bekommen.

THE BOOK OF KELLS

»Turning Darkness into Light«, selten hat ein Motto so ins Ziel getroffen wie die Ausstellung zum legendären Book of Kells im Trinity College in Dublin. Das von Mönchen vor 1200 Jahren geschriebene Buch zieht jedes Jahr Millionen Menschen in die Old Library, die hier eines der ältesten Bücher der Welt mit wunderbar illustrierten Ornamenten und Majuskeln bewundern. Es stellt eine reich verzierte Abschrift der vier Evangelien des Neuen Testaments auf 340 Pergamentblättern dar, verfasst von den Mönchen des Klosters St. Colum Cille auf Iona. Vor den Wikingern in Sicherheit gebracht, kam es zunächst nach Kells in die Grafschaft Meath. Von dort wurde es während der Cromwellschen Zeit um 1653 nach Dublin geschickt, wo es 1661 im Trinity College seinen endgültigen Platz fand. Ein Meisterwerk der irischen Buchmalerei des 9. Jahrhunderts und das einzige erhaltene irische Manuskript mit einem vollständigen Text des Neuen Testaments. Über die Form der Präsentation kann man streiten, unbestritten aber ist die Faszination, die von ihm ausgeht.

WEITERE INFORMATIONEN

Trinity College Dublin, College Green, Tel. (01) 896 10 00, www.tcd.ie
The Book of Kells, www.tcd.ie/visitors/book-of-kells

Powerscourt begeistert die Besucher nicht zuletzt mit seinen Parks und Gärten und einer sorgfältig platzierten Blütenpracht.

4 Edel – Powerscourt House and Gardens

Landsitz mit italienischem Flair

Irische Landsitze sind stets umgeben von großzügigen Park- und Gartenanlagen, die eine harmonische Einheit bilden. In den Wicklow Mountains gibt es herrliche Anwesen mit Blick auf Bray Head und die Irische See – nicht nur zum Sonnenuntergang ein Genuss!

Ein Blick von der weitläufigen Terrasse hinab auf den See, die Gärten und Parkanlagen; am Himmel ein Regenbogen, sanfter Nieselregen weht über die Blumenbeete, Pferdestatuen und Fabelwesen glänzen in der Sonne, die immer wieder von schnell dahinziehenden Wolken verdeckt wird: Powerscourt House and Gardens bei Enniskerry am Fuß der Wicklow Mountains gehört zu den schönsten Landsitzen, die Europa zu bieten hat. Ende des 12. Jahrhunderts wurde hier, 20 Kilometer südlich von Dublin, eine Burg errichtet, die sich im Besitz der Familie le Poer befand. Nach den O'Tooles und den Fitzgeralds übernahm 1603 Richard Wingfield Powerscourt, nachdem er drei Jahre zuvor zum Marshall von Irland berufen worden war. Über 350 Jahre lebte die Familie Wingfield hier, entwickelte Landsitz und Ländereien zu einer Gesamtkomposition, aus der ein italienischer und ein japanischer Garten, herausragen. An der Gartengestaltung war der Landschaftsarchitekt Daniel Robertson maßgeblich beteiligt, der wegen Gicht nur in einer Schubkarre sitzen und mit einer Flasche Sherry ausgerüstet Anweisungen geben konnte.

Hoch-Zeit in Summerhill

Ein romantisches Landhaus mit edlem Ambiente, dennoch nicht überteuert, ist das »Summerhill House Hotel« in Enniskerry. Nur wenige Minuten Fußweg von Powerscourt und dem Dorfzentrum entfernt, findet man hier den idealen Standort für ausgedehnte Spaziergänge in den Wicklow Mountains. Info: Summerhill House, Tel. (01) 286 79 28, www.summerhillhousehotel.com

5 Geschichte pur – Hill of Tara

Heimstatt der irischen Mythologie

Fionn denkt sich eine List aus. Dermot wird von einem wilden Eber im Kampf getötet. Fionn bereut seine Tat und bestattet Dermot in Brú ba Bóinne. Hier kann er mit ihm für immer Zwiesprache halten. Wer will diese Anderswelt nicht sehen?

Der Hill of Tara ist ein auf den ersten Blick unscheinbarer Ort, an dem Schafe grasen, doch strahlt er auch eine große Mystik aus. In seinem Zentrum steht der »Stein des Schicksals«.

Das gälische Wort *Teamhair* bedeutet »Hügel«, Tea heißt aber auch die Göttin der Milesier, die in Tara gelebt haben und hier begraben sein soll. Fest steht jedenfalls, dass der rund 50 Kilometer nordwestlich von Dublin gelegene unscheinbare Ort in der Geschichte und Mythologie Irlands den wichtigsten Platz einnimmt. Heimat der Druiden, Burg der irischen Hochkönige, Sitz der Götter, letzte Ruhestätte des Elfenvolks Tuatha de Danann, Kultort der Göttin Maeve ... Die Liste kann scheinbar unendlich fortgesetzt werden. Heute sieht man hier einen ellipsenförmigen Erdwall, der zwei Ringfestungen und ein Hügelgrab einschließt. Cormac MacArt, der hier im 3. Jahrhundert regierte, veranstaltete jeden Herbst ein großes Fest – das Vorbild für Camelot und die Artus-Sage?

Tragische Liebe

Auch eine traurige Liebessage ist mit Tara verbunden. Die schöne Grania, Tochter von Cormac MacArt, wird dem heldenhaften Krieger Fionn MacCumhaill zur Frau versprochen. Als sie den alten Kämpfer am Verlobungsfest in Tara sieht, flüchtet sie mit dem jungen Dermot. Sieben Jahre ziehen sie umher, verfolgt von Fionns Zorn, ehe sie sich in Sligo niederlassen. Mit den Jahren wurde das Heimweh zu groß. Sie laden alle zu einem Versöhnungsfest ein. Fionn sorgt dafür, dass Dermot von einem wilden Eber im Kampf tödlich verwundet wird. Da Fionn seine Tat aber bereut, bestattet er Dermot in Brú na Bóinne, wo er in der Anderswelt mit ihm Zwiesprache halten kann. Info: www.heritageireland.ie, www.megalithicireland.com

Die Klosteranlage Glendalough, im 6. Jahrhundert gegründet, ist sehr gut erhalten. Einst lebten hier über 5000 Menschen (oben). Kevin's Kitchen (rechts unten) diente als Kirche, nicht als »Küche«. Wasserläufe, kleine Wehre und eine üppige Vegetation verwandeln die Mount Usher Gardens in ein Naturparadies (rechts oben).

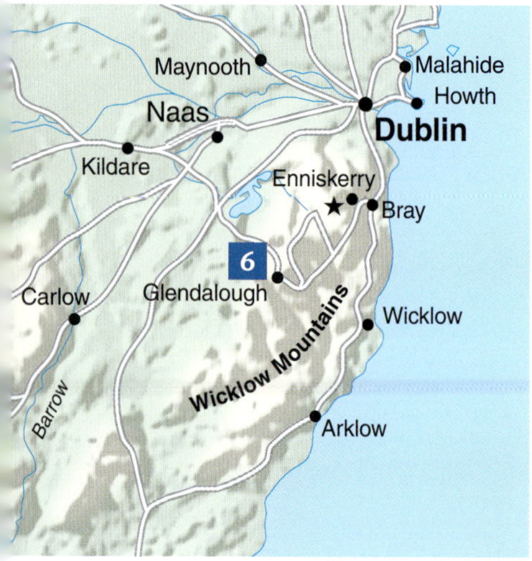

6 In den Wicklow Mountains – Glendalough

Auf den Spuren des heiligen Kevin

Die Grafschaft Wicklow bietet dem Reisenden nicht nur goldfarbene Sandstrände, bewaldete Täler und zahlreiche Seen, sondern mit dem Wicklow Mountains National Park auch eine einsame Gebirgslandschaft, in der es sich wunderbar wandern lässt. Und im »Tal der zwei Seen« mit der Klostersiedlung Glendalough lohnt es sich ganz besonders, den Geschichten vom heiligen Kevin nachzuspüren.

Die Zeiten, als Irland noch mit Wäldern voller Eichen, Buchen, Birken und Kiefern bedeckt war, sind längst Vergangenheit. Mit Rodungen und Holzkohleverarbeitung für Schiffe und Fässer wurden die irischen Wälder rigoros abgeholzt, bis fast nichts mehr übrig blieb. Die heutige Aufforstung geschieht überwiegend unter ökonomischen Gesichtspunkten, schnell wachsende Nadelbaum-Monokulturen für Nutzholz stehen hier und dort wie Tupfer einer fremden Welt. Da haben zusammenhängende Waldgebiete, die alle Jahrhunderte überlebt haben, in Irland ihren besonderen Reiz. So auch die Berge und Täler der Wicklow Mountains südlich von Dublin, die in ihrer Abgeschiedenheit und Stille eher an die Westküste Irlands erinnern als an die lebhaftere Ostküste.

Meditative Stille in den Wicklow Mountains

Die Grafschaft Wicklow wird aufgrund ihrer landschaftlichen Schönheit auch »Garten Irlands« genannt. Aber nicht nur zauberhafte Gärten sind hier zu entdecken, auch die vor etwa 400 Millionen Jahren entstandene Berg- und Hügellandschaft der Wicklow Mountains verströmt ihre Reize. Von der Eiszeit tief eingeschnittene Täler wie Glendalough im Osten und die eher sanft geschwungenen Senken im Westen bilden mit den Wiesen und Wäldern eine harmonische Szenerie, die von Wanderern immer wieder

genutzt wird zu ausgedehnten Touren auf dem Wicklow Trail, Irlands ältestem Fernwanderweg, der auf 132 Kilometern Rathfarnan mit Clonegall verbindet. Bis ins vergangene Jahrhundert hinein wurde in den Wicklow Mountains durch den hohen Anteil Blei, Eisen und Zink im Sedimentgestein auch Bergbau betrieben, vereinzelte Halden und verlassene Stollen sind stumme Zeugen einer vergangenen Zeit. Besiedelt wurde das Gebiet schon in der Jungsteinzeit; auch die frühen Christen schätzten die Einsamkeit der Berge und die Abgeschiedenheit der Täler. Mehr Betrieb herrscht in den Sommermonaten im Besucherzentrum des Wicklow-Mountains-Nationalparks, der bereits im Jahr 1991 eröffnet wurde und rund 20000 Hektar umfasst. In den Heiden, Wäldern und Mooren fühlen sich seltene und bedrohte Vogel- und Säugetierarten genauso wohl wie der Wanderer, der meditative Stille in faszinierender irischer Hügellandschaft sucht.

Kevin in Glendalough

Diese Stille, wie sie auch in Glendalough im »Tal der zwei Seen« zu finden ist, hat wohl auch den heiligen Kevin im 6. Jahrhundert so begeistert, dass er den Ort als geeignet empfand, um sich hier im Einklang mit der Natur als Einsiedler niederzulassen und später eine Klostergemeinschaft zu gründen. Heute ist es nur im Winter ruhig, wenn die Besucher weniger stark hierherströmen in eines der beliebtesten Irland-Ausflugsziele der ganzen Insel. Aus der einstigen Einsiedelei wurde im frühen Mittelalter ein großes Geisteszentrum, an dem bis zu 3000 Mönche und Gelehrte ihren Studien nachgingen. Erhalten und zu besichtigen sind vor allem die Kathedrale, der Rundturm, das Priesterhaus und Kevin's Kitchen, ein weiterer Rundturm, der ebenfalls als Kirche diente. Die Sagen und Legenden um Kevin sind so vielfältig wie die Landschaft der Wicklow Mountains. Der Heilige soll so eng mit den Tieren verbunden gewesen sein, dass ihm die Hirschkühe der umliegenden Wälder ihre Milch gaben, mit der er einen Königssohn aufziehen konnte, dass Vögel in seinen zum Gebet ausgestreckten Händen brüteten und Otter ihm sein in den See gefallenes Gebetbuch unversehrt zurückbrachten. Weniger schmeichelhaft ging der menschenscheue Eremit mit Prinzessin Kathleen um, die ein Auge auf ihn geworfen hatte. Er floh in eine Höhle, doch auch dort spürte sie ihn auf. Müde der Nachstellungen, warf er sie in den See, in dem sie ertrank.

DIE GARTENREGION IRLANDS

Von Anfang Mai bis Ende September verwandelt das Wicklow Garden Festival die Region in einen blühenden Sommertraum: Zu diesem Anlass putzen sich rund 40 Gärten wunderschön heraus. Eine besonders attraktive Anlage wartet in Ashford mit den Mount Usher Gardens auf Gäste. Die neun Hektar große Garten- und Parkanlage um den Vartry River, ab 1875 von Edward Walpole angelegt, ist ein ausgezeichnetes Beispiel für eine Robinsonade: romantisch, naturnah, verwildert. Ein Stil, der nichts mit den botanischen, formellen Gärten zu tun hat, die bis dahin in Mode waren. Dennoch findet man hier über 5000 Pflanzenarten, exotische Bäume, Sträucher, Hecken und Blumen, die entsprechend der Philosophie alle ökologisch herangezogen und erhalten werden. Obwohl Mount Usher so viel unverfälschte Natur bietet und möglichst wenig eingegriffen wird in den Kreislauf aus Werden und Vergehen, fühlt man sich hier doch wie von unsichtbarer Hand durch das Paradies geleitet.

WEITERE INFORMATIONEN

Wicklow Tourist Office, Rialto House, Fitzwilliam Square, Wicklow Town, Tel. (0404) 691 17, www.visitwicklow.ie, www.glendalough.ie

Mount Usher Gardens, Ashford, Tel. (0404) 402 05, www.mountushergardens.ie

Das Fleadh Nua Festival findet jährlich in Ennis in der Grafschaft Clare statt (oben). Es wurde 1974 ins Leben gerufen, um irische Musik und Traditionen zu fördern. Das wird auch in Gweedore im County Donegal in jedem Haus gepflegt (rechts unten).

Fiedeln bis zum Abwinken

Jiggs und _Reels_ heißen die Rhythmen der traditionellen irischen Musik. Unter dem Namen »Traditional Irish Folk Music« hat sie seit den 60er-Jahren des vergangenen Jahrhunderts ihren Siegeszug rund um die Welt angetreten. Und noch heute gelingt ihr Beeindruckendes: Menschen durch Musik zusammenzubringen.

In Irland sind Musiktraditionen und Storytelling noch immer besonders lebendig und werden als kulturelles Erbe gepflegt. Ob in Donegal, im County Clare, in Kerry, in Cork, Dublin oder Belfast: Es vergeht kaum ein Monat, in dem nicht ein großes Musikfestival stattfindet. Und mit dem »Fleadh Cheoil na hÉireann« verfügt man über ein nationales Musikfest, das auch international jedes Jahr Beachtung findet. Sein Schwerpunkt liegt zwar in der traditionellen Folk Music, aber schon die Tatsache, dass es jedes Jahr in einer anderen Stadt Irlands gefeiert wird, sorgt für eine große Bandbreite unter Berücksichtigung regionaler Strömungen. Damit geht das Fleadh Cheoil weit über den üblichen Folk-Mainstream hinaus. Bereits im 17. Jahrhundert entstanden in Irland erste rhythmische Musikstücke, die damals noch ohne Instrumente vorgetragen wurden. Tin Whistle, die Fiddle, Uilleann Pipes, Akkordeon, Bodrhán und keltische Harfe kamen erst ab dem 18. Jahrhundert hinzu. Eines ist bis heute geblieben: Balladen, Trink-, Tanz- und Liebeslieder animieren schnell zum Mitsingen und bringen so die Menschen, ob Einheimische oder Gäste, in der Musik und im Tanz zusammen.

Erinnerung an Jim Dowling

An einen berühmten Musiker erinnert Glengarriff jedes Jahr im Juni, wenn die »Jim Dowling Uilleann Pipe & Trad Festival«-Woche gefeiert wird. Dann wird in Bars, Pubs, Hotels, Cafés

und an jeder Straßenecke gepfiffen und gefiedelt was das Zeug hält. Das alles in Erinnerung an Jim Dowling, der unendlich viel für die traditionelle Musik auch in West Cork getan hat. Jim wurde 1938 in Dublin geboren, bis zum 31. Lebensjahr arbeitete er für die Guinness-Brauerei. Er gehörte zu einer ausgesuchten Band junger Dudelsackspieler, die vom legendären Piper Leo Rowsome ausgebildet wurde. Zu jener Zeit wurde die traditionelle irische Musik in die Hinterhöfe verbannt, bis man 1951 das »Committee of Cumann Ceoltóirí na hÉireann« gründete, dessen Sekretär Jim für zwölf Jahre wurde. In dieser Funktion trug er die Uilleann Pipe und ihre Melodien und Songs durch die Welt, bis er sich 1969 in Glengarriff niederließ. Auch hier veranstaltete er Sessions in der Bar des Dowling's Caravan Park, die Musiker von nah und fern anzogen.
In West Cork entwickelte sich im Laufe der irischen Geschichte eine große Tradition für das Dudelsackspiel, die nun mit dem Jim Dowling Festival mit Leben gefüllt wird. Dann wird auch an den blinden Geiger Tom Kennedy erinnert und an den großartigen West Cork Piper Canon James Goodman, der über 2000 Melodien sammelte und niederschrieb. Dieses beeindruckende Werk wird heute noch unter dem Titel *The Tunes of the Munster Pipers* in der Bibliothek des Trinity College aufbewahrt.

Keadue und der Wanderbarde

In Keadue in der irischen Grafschaft Roscommon findet jedes Jahr im Sommer ein Musikfestival statt, das den letzten irischen Wanderbarden Turlough O'Carolan feiert. Aber Hand aufs Herz: Die 200-Seelen-Gemeinde am Lough Meelagh würde wahrscheinlich völlig übersehen, wenn sich hier nicht eine Dorfgemeinschaft zusammengefunden hätte, die die traditionellen irischen Werte wie Musik, Tanz und den Community-Gedanken mit Leben erfüllt. Und dabei auf eine hoch geehrte Künstlerpersönlichkeit zurückgreift, die wie so vieles in der irischen Geschichte auch eine tragische Komponente aufweist. Turlough O'Carolan (1670–1738) gilt nicht nur als der eigentliche irische Nationalkomponist, er ist als letzter Wanderbarde auch heute noch weit über die Musikszene hinaus gegenwärtig. Bereits im Alter von 18 Jahren erkrankte er an Pocken und erblindete, doch das hielt ihn nicht davon ab, großartige Harfenmusik zu komponieren, zu spielen und durch die Lande zu tragen. Bis heute sind noch über 200 Stücke erhalten geblieben, die zum nationalen Musikerbe Irlands zählen.

Sharon Shannon (oben) gehört zu den populärsten irischen Musikerinnen. Das in Corofin im County Clare in einer musikalischen Familie aufgewachsene Multitalent spielt vor allen Akkordeon und Geige, singt, tanzt und tourt mit und ohne Band durch die Welt.

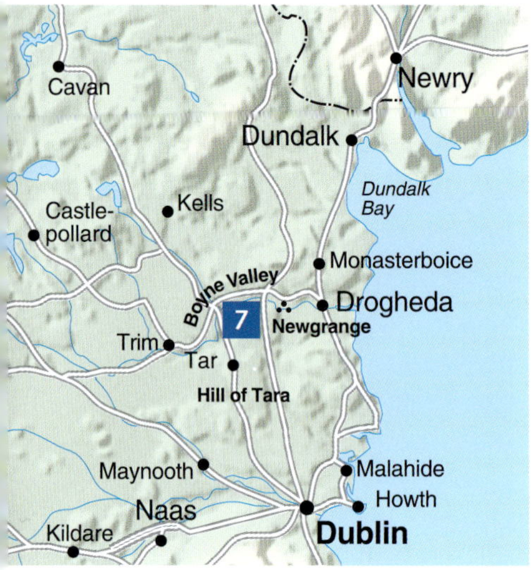

7 Königlich – Boyne Valley, Newgrange, Slane

Am Fluss der Geschichte

Das nur 50 Kilometer nördlich von Dublin gelegene Boyne Valley ist ein höchst geschichtsträchtiger Ort und ein friedlich daliegendes Flusstal zugleich. Charmante kleine Orte wie Slane, Trim und Kells wechseln sich ab mit den bedeutendsten Grabpalästen der Steinzeit: Newgrange, Knowth und Dowth. Die ganze Grafschaft Meath erscheint wie ein königliches Freilichtmuseum.

Irland ist reich an vielfältigen Schätzen der Steinzeit, die sich über die ganze Insel verteilen wie Kleeblätter auf den Wiesen. Doch der Megalithkomplex Brú na Bóinne im Tal des Flusses Boyne, als UNESCO-Welterbe eingestuft, ist die bedeutendste Anlage dieser Art in ganz Europa. Was die Menschen hier vor rund 5000 Jahren schufen, noch weit vor den ägyptischen Pyramiden und Stonehenge, verschlägt einem die Sprache. Die gewaltigen Anlagen rund um Newgrange sind ein architektonisches Meisterwerk der neolithischen Kultur, die sich von hier aus über Irland ausbreitete. Der Legende nach war die Boyne-Schleife zwischen Drogheda im Osten und Slane im Westen die Nekropole der Könige von Tara und Wohnstatt der göttlichen Königin Boinn und der Könige Nuada und Dagda. Noch heute spürt man die magische Kraft, die von diesem Ort ausgeht, trotz der Menschenmassen, die in der Hauptsaison durch das Visitor Centre hier einfallen und ihm seine meditative Stille nehmen.

Newgrange – Sonnenmagie und Totenkult

Schon von Weitem weckt Newgrange Gefühle von Ohnmacht und Staunen. Der zwölf Meter

Der heilige Patrick ist in Irland allgegenwärtig (unten). Auf dem Hill of Slane findet man die Überreste eines Franziskanerklosters aus dem 16. Jahrhundert (rechts).

Die Ganggräber von Newgrange (oben und rechts) wurden bereits zu einer Zeit angelegt, als weder die Pyramiden von Gizeh noch Stonehenge erbaut waren. Zentrum der Anlage von Knowth ist ein über 30 Meter langes Ganggrab aus dem Neolithikum (unten).

hohe, kreisrunde und 90 Meter im Durchmesser zählende Erdhügel besteht aus einem unterirdischen Gang mit Kammern, deren Dach und Wände von Steinplatten getragen werden, die einem Gewicht von einer Viertelmillion Tonnen standhalten. Alles, auch die äußeren Randsteine, ist in Trockenbauweise zusammengefügt, ohne Lehm und Mörtel, aber mit einem raffinierten Drainagesystem versehen, wodurch der 19 Meter lange Gang innen und die Kammern in 5000 Jahren keinen einzigen Tropfen Regen abbekommen haben. Und in Irland fehlt es an Niederschlägen bekanntlich nicht. Entdeckt wurde Newgrange im Jahr 1699, als der damalige Grundbesitzer Charles Campbell Steine für den Straßenbau zusammentrug. Dabei stieß man auf den Grabeingang und war angesichts des prächtig verzierten Eingangssteins wohl so erschrocken, dass man die Flucht ergriff. Erst in den 1970er-Jahren wurden von Professor Michael O'Kelly die Ausgrabungen und die Rekonstruktion der Grabanlage von Newgrange abgeschlossen. Man fand darin Schmuck, Steinperlen, Knochennadeln und ovale wie phallusförmige Steinfiguren, die auf Ahnenkulte, Fruchtbarkeitsrituale und Sonnenmagie hindeuten. Auch Spuren von Getreide wurden entdeckt, was den Schluss zulässt, dass Newgrange nicht nur als Totenkultstätte, sondern auch als Getreidespeicher genutzt wurde.

Stille und Dunkelheit

Die weißen Quarz- und Granitsteine der äußeren Umrandung und die mit magischen Symbolen reich verzierten Randsteine sind schon so beeindruckend, dass man unweigerlich in Ehrfurcht verfällt. Ganz und gar faszinierend sind dann der geduckte Einstieg in das Ganggrab und das Verharren in absoluter Stille und Dunkelheit im zentralen Innenraum, wenn der Führer der Besuchergruppe demonstriert, wie das Licht der aufgehenden Sonne durch den Gang in den Hauptraum fällt. Und durch die rechteckige Öffnung über dem Eingang fällt selbst zur dunkelsten Zeit des Jahres, zur Wintersonnwende im Dezember, über eine Viertelstunde lang Licht in die zentrale Grabkammer. Leben und Tod, Wachsen, Gedeihen und Vergehen, die Jahreszeiten, der Lauf der Sonne und des Mondes, all das wird hier in Newgrange lebendig und für jeden greifbar.

Knowth und Dowth

Im Gegensatz zu Newgrange ist Knowth nur von außen zu besichtigen, dafür kann man aber auf die Spitze des Grabhügels steigen und gewinnt so einen ausgezeichneten Eindruck von der Größe und Macht des magischen Ortes an

der Boyne-Schleife. Der zentrale Hügel mit seinem Durchmesser von 95 Metern ist das größte Ganggrab Irlands. Um ihn herum sind 17 weitere Satellitengrabhügel angeordnet. Wie in Newgrange stammen die weißen Quarzsteine aus den Wicklow Mountains, der dunklere Granit kommt aus der Bucht von Dundalk. In Knowth wurden zwei Gänge entdeckt, deren Endpunkte im Mittelpunkt des Cairns zusammentreffen. Wie in Newgrange auch, findet man immer wiederkehrende Muster und Ornamente in den großen Steinen, die den Grabhügel einrahmen. Offenbar spielten astronomische Aspekte beim Bau eine entscheidende Rolle: Am Morgen des Frühlings- und Herbstanfangs erleuchtet die Sonne den östlichen Bereich, bevor sie untergeht den westlichen Gang. Knowth hat, wie könnte es anders sein, eine bewegte Vergangenheit. Um 2500 vor Christus wurde die Anlage verschlossen, 500 Jahre später wieder geöffnet. Auch aus der Eisenzeit und dem frühen Christentum gibt es Funde, im Mittelalter nahmen die Normannen von ihr Besitz, heute bewacht das Office of Public Work die Anlage. Von allen Gräberstätten im Boynetal hatte derweil Dowth am stärksten unter Plünderungen und Zerstörungen zu leiden. Wohl auch ein Grund, warum man die Anlage nur aus der Ferne betrachten kann. Sie ist ähnlich groß und genauso beeindruckend wie Newgrange, wird aber der Legende nach mit der Macht der Dunkelheit und dem Druiden Bresal in Verbindung gebracht; Letzterer wollte hier einen Turm errichten, der bis in den Himmel hinaufreichen sollte. Das musste natürlich scheitern. Die Ausgrabungen in Dowth werden wohl noch einige Jahre dauern.

Osterfeuer in Slane

Nach so viel Geschichte gelüstet es den Wanderer der Neuzeit meist nach mehr weltlichen Genüssen, die er im hübschen Dorf Slane finden kann. In George's Patisserie, geleitet vom Münchner Master of Culinary Art Georg Heise, lässt sich trefflich über all die Legenden und Geschichten rund um Brú na Bóinne nachsinnen. Auch um den Dorfhügel von Slane ranken sich Geschichten aus vergangenen Tagen, als der heilige Patrick im Jahr 433 hier das erste Osterfeuer entzündet haben soll. Das ärgerte König Laoghaire so sehr, dass er Patrick zu sich zitierte, um mit ihm und seinen Druiden den neuen Glauben auszudiskutieren. Wie zur Unterstützung der Patrickschen Argumentationslinie soll die Erde gebebt haben, was den König natürlich mächtig beeindruckte. Er ließ Patrick unbehelligt von dannen ziehen und Slane in Frieden.

DIE SCHLACHT AM BOYNE

Man weiß nicht, wie sich Irlands Geschichte entwickelt hätte, wenn die Schlacht am Boyne anders ausgegangen wäre. Fünf Kilometer westlich von Drogheda standen sich hier am 1. Juli 1690 katholische und protestantische Heere gegenüber. Die Truppen Wilhelms III. lagerten bei Townley Hall, die katholischen Kämpfer Jakobs II. auf dem Donore Hill. Wilhelm III. hatte die bessere Strategie, seine Soldaten umzingelten die Gegner und schlugen sie in die Flucht. Damit hatten die Engländer endgültig die Macht in Irland übernommen. Heute gibt es hier ein großes Besucherzentrum, doch das Schlachtfeld wird erst in einigen Jahren vollständig archäologisch erschlossen und untersucht sein.

WEITERE INFORMATIONEN

Meath Tourism, Dublin Road, Navan, Tel. (046) 909 70 60, www.meath.ie
Stätten-Websites: www.knowth.com, www.visitslane.ie, www.boynevalleydrive.ie, www.battleoftheboyne.ie

Im County Louth findet man wichtige Zeugnisse des religiösen Lebens der Insel, darunter das ehemalige Waschhaus der Mönche in Mellifont (oben). Alle irischen Schulkinder besuchen die heiligen Stätten einmal (rechts).

8 Zu Kreuze getragen – Monasterboice, Mellifont

Frühes Christentum in Louth

Irlands Hochkreuze sind ein wichtiger Beitrag zur europäischen Bildhauerkunst des frühen Mittelalters. In Monasterboice im County Louth stehen drei der bekanntesten Steinkreuze der Insel, und ganz in der Nähe kann man die Überreste des ersten irischen Zisterzienserklosters Mellifont besichtigen. Beide Stätten des Glaubens liegen noch heute etwas abseits der lärmenden Welt, hier genießt man das Gefühl von Ruhe und Frieden in ländlicher Umgebung.

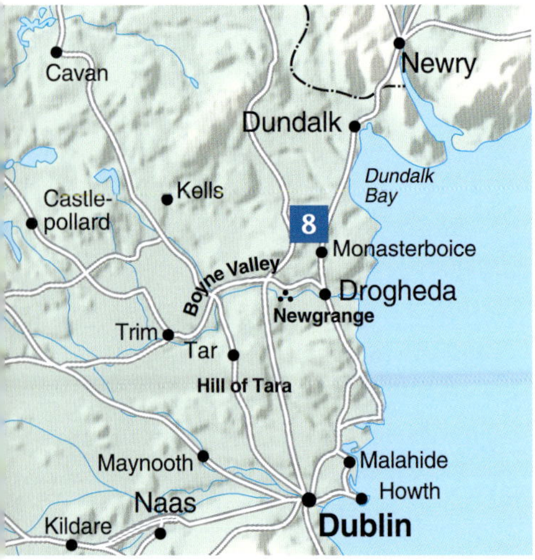

Die kleinste irische Provinz, das County Louth an der Küste nördlich von Dublin, tritt immer mehr aus ihrem einstigen Schattendasein hervor. Hier hat man unter der Teilung Irlands besonders gelitten. Seitdem aber der Entspannungsprozess in vollem Gang ist, sind die Hoffnungen besonders groß, endlich aus dem Dornröschenschlaf geweckt zu werden. Die einstige Industriestadt Drogheda und die Hafenstadt Dundalk profilieren sich als moderne Einkaufsstädte, das hübsche Carlingford und die unberührte Cooley-Halbinsel bieten dem Reisenden ein ursprüngliches Irland, in dem der Gast noch wie ein König behandelt wird.

Glaubenszentrum Monasterboice

Ein Friedhof so groß wie ein Fußballfeld, kleine Gräber, keltische Hochkreuze und ein mächtiger Rundturm, den krächzende Raben umfliegen. Der Wind pfeift über die benachbarten Felder, Blätter rascheln und verwehen zum Meer hin, Bauern gehen ihrer Arbeit nach, mächtige Wolken ziehen über das hügelige Land, Stille liegt über dem alten Klosterort Monasterboice, und eine Erhabenheit breitet sich aus, die auch von den Geräuschen der Vögel nicht gestört wird. Nur wenige Kilometer nördlich des Flusses Boyne stand um das Jahr 500 nach Christus das nach Clonmacnoise und Glendalough bedeutendste

Kloster jener Zeit, gegründet vom heiligen Buithe, einem Schüler Patricks. Grabungen haben allerdings ergeben, dass hier schon in der Bronzezeit eine vorchristliche Kultstätte vorhanden war. Monasterboice war jahrhundertelang ein wichtiges Glaubenszentrum Irlands, hier wirkte unter anderem der Mönch, Dichter und Gelehrte Flann Mainstreach. Im 10. Jahrhundert wurde das Kloster von den Wikingern besetzt, 989 konnte sie der König von Tara, Domnall, vertreiben. Als im 12. Jahrhundert das benachbarte Kloster Mellifont gegründet wurde, näherte sich die Glanzzeit von Monasterboice aber ihrem Ende.

Die Steinkreuze von Monasterboice (unten). Das hübsche Städtchen Carlingford liegt auf der Cooley-Halbinsel im County Lough (rechts).

Prachtvolle Hochkreuze

Der 30 Meter hohe Rundturm, dem heute die Spitze fehlt, gehörte sicher einst zu den höchsten seiner Art in ganz Irland. Hier brachten die Mönche Güter und Kulturschätze unter, wenn ein Überfall drohte. Von zwei Steinkirchen aus dem 9. Jahrhundert sind noch Grundmauern zu sehen, die Hauptattraktionen aber sind drei prachtvoll verzierte Hochkreuze, die alle anderen Grabsteine überragen. Das imposanteste ist das Hochkreuz, das dem Abt Muiredach (887–923) zugeschrieben wird. Es ist über fünf Meter hoch, und seine Spitze wird von einem Miniatur-Tempelbau gekrönt. Die wunderbaren Reliefarbeiten zeigen Tier- und Bibelmotive wie den Sündenfall, Kain und Abel, David und Goliath, Moses, die Weisen aus dem Morgenland, das Jüngste Gericht und Christus als Friedensrichter. Petrus, Paulus, der ungläubige Thomas, die Kreuzigung und am Sockel zwei Katzen, wie sie oft auch im *Book of Kells* auftauchen, vervollständigen das Werk. Auch das Westkreuz beeindruckt mit über 50 Motiven; nur das Nordkreuz ist einfacher gestaltet. Besonders morgens und abends lohnt sich der Besuch von Monasterboice, denn dann scheint alles wie in ein magisches Licht getaucht.

Zisterzienser in Mellifont

Zwischen Slane und Ardee liegt das von Malachias, dem Bischof von Armagh, gegründete erste Zisterzienserkloster Irlands, Mellifont Abbey. Im 12. Jahrhundert hatten sich viele klösterliche Gemeinschaften in Irland mit einem durchaus angenehmen Leben arrangiert, Askese, Glaubenslehre und Spirituelles traten in den Hintergrund. Das sollten die strengeren Regeln des Bernhard von Clairvaux, den Malachais in Frankreich kennengelernt hatte, auf der Insel wieder ändern. So wurde Mellifont – in der »Honigquelle« lebten zeitweise 400 Mönche – bald Stammhaus für 21 weitere Zisterzienserklöster in ganz Irland. Im Jahr 1242 fand hier

eine Synode statt, in der die irischen kirchlichen Strukturen neu geordnet wurden.
Von Mellifont ging aber nicht nur neues Gedankengut aus, es veränderte auch den Baustil der Klosteranlagen des Landes, indem es kontinental-europäische Klöster als Vorbild nahm. So wurden alle Gebäude um einen rechteckigen Hof mit Kreuzgang gruppiert, nördlich davon stand die kreuzförmige Kirche. In Mellifont sind zwar nur noch die Grundrissmauern zu sehen, doch lässt sich unschwer die Größe und Bedeutung der Klosteranlage ablesen. Am besten ist das achteckige Waschhaus erhalten, das von einer unterirdischen Leitung mit dem Wasser des benachbarten Flüsschens versorgt wurde. Hier konnten sich die Mönche nach getaner Feldarbeit vom Schmutz befreien.

Charmantes Carlingford

Hübsch herausgeputzt hat sich auch das kleine Städtchen Carlingford, das sich an die Küste und den 590 Meter hohen Berg Slieve Foye anschmiegt. Mit seinen mittelalterlichen Gassen, den gepflegten alten Häusern, wehrhaften Stadtmauern und dem King John's Castle aus dem 11. Jahrhundert hat es sich seinen sympathischen Charakter vergangener Zeiten bewahrt. Carlingford ist darüber hinaus auch die Austernmetropole Irlands, im Lough wachsen über 20 Millionen Schalentiere heran, von denen nicht wenige beim Austern-Wettessen während des Oyster-Festivals Mitte August verspeist werden. Dann treffen sich in dem ansonsten eher beschaulichen Ort Musikanten, Kunsthandwerker, Händler und Gaukler aus allen Ecken der Insel, um in Carlingford ein großes Volksfest im Zeichen der Austern zu feiern. Danach geht es dann auf den 40 Kilometer langen Tain Trail, einen gut ausgeschilderten Wanderweg um die Halbinsel Cooley und die Berge herum. Unterwegs erreicht man den Slieve Foye Forest Park und Long Woman's Grave am Windy Gap. Dort soll eine spanische Prinzessin begraben liegen, die zwar ihrem irischen Prinzen gefolgt ist, aber das kühle Regenwetter an der Küste nicht vertragen hat.
Auch die einst triste Industriestadt Drogheda mit ihren rund 32 000 Einwohnern hat sich in den letzten Jahren zu einer schicken Einkaufsstadt gemausert, ihre Eisenbahnbrücke über den River Boyne, St. Peter's Church und das Millmount Museum machen sie zu einem attraktiven Standort für Entdeckungen in die geschichtsträchtige Region.

DAS BEAULIEU HOUSE

Hinter der mächtigen Eisenbahnbrücke in Drogheda liegt das Beaulieu House, das erste unbefestigte Herrenhaus, das in Irland gebaut wurde. Lange bevor Palladios Stil im 18. Jahrhundert auch in Irland die Architektur beeinflusste, wurde hier von 1660 bis 1666 ein Landsitz im anglo-niederländischen Stil geschaffen, der mit schlichter Eleganz daherkommt. Die Ländereien gehörten der Plunkett-Familie, wurden jedoch von Oliver Cromwell enteignet und dem Marschall der Irland-Armee, Sir Henry Tichbourne, übergeben. Das Haus birgt eine Kunstsammlung zu den Anfängen der irischen Landschaftsmalerei des frühen 18. Jahrhunderts. Die schönen Gärten sind in ihrer ursprünglichen Gestaltung erhalten geblieben.

WEITERE INFORMATIONEN

Tourist Information, The Tholsel, West Street, Drogheda, Tel. (041) 987 28 43, www.drogheda.ie
Websites: www.beaulieuhouse.ie

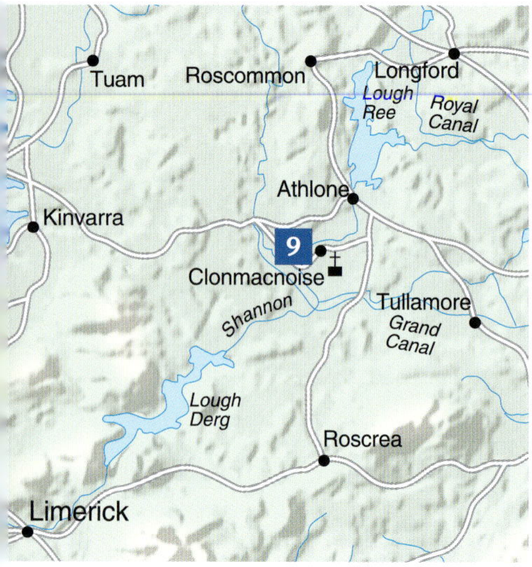

9 Ort der Stille – Clonmacnoise

Friedlicher Klosterort am Fluss

Das zu den am besten erhaltenen Klöstern Irlands gehörende Clonmacnoise wurde im Jahr 548 vom heiligen Ciarán am Ufer des River Shannon gegründet. Seine exponierte Lage war zugleich auch seine Achillesferse, doch trotz zahlreicher Überfälle spielte es für mehr als 1000 Jahre eine entscheidende Rolle im christlichen Irland. Seine Hochkreuze sind wichtige Zeugnisse des Glaubens und der hohen Handwerkskunst des 8. und 9. Jahrhunderts.

Bereits im Mittelalter war Clonmacnoise Pilgerziel für Gläubige aus ganz Europa (unten). Zwei Rundtürme (12. Jh.) ragen auf dem Gelände auf, einer innerhalb der Mauern, einer etwas abseits am Ufer des Shannon. Sie kündigen die Anlage schon von Weitem an (rechts oben). Im eleganten Park von Birr Castle (rechts unten).

Sanfte Hügel, kleine Inseln im Fluss, Wiesen mit blühenden Blumen und großen Granitsteinen, die an vielen Stellen die Grasnarbe durchbrechen. Fische, die in der Abendsonne nach Mücken springen und ein leichter Wind, der die Blätter der Laubbäume zum Rascheln bringt: Wohl keine andere Landschaft hat dem heiligen Ciarán so gefallen und seine Seele berührt wie die sanften Hügel rund um Clonmacnoise im County Offaly. Und noch heute wird man hier von der Schönheit der Natur, den Wiesen, den Mooren und dem ruhig dahingleitenden River Shannon überwältigt. Clonmacnoise geht einem nahe, ob man als Pilger oder einfacher Besucher hierherkommt, man verlässt den zauberhaften Ort verändert.

Der heilige Ciarán

Ciarán lebte nur ein Jahr in Clonmacnoise, er war der Sohn eines Zimmermanns und starb schon im Alter von 33 Jahren, von der Pest gezeichnet. Es gibt auffallend viele Parallelen zum Leben von Jesus Christus. Ciarán verbrachte den größten Teil seines Lebens nach seiner Probezeit mit dem heiligen Finnian in Clonard in der Grafschaft Meath, dann zog er von einer großen

Klosterschule zur nächsten. Er besuchte das Sankt-Endas-Kloster auf Inishmore und Sankt Senan auf der Insel Scattery. Sein Wunsch nach Erkenntnis und tiefem Glauben war scheinbar unstillbar, demütig sog er alles Wissen seiner Zeit auf und ließ es in die Gründung von Clonmacnoise einfließen. So wurde es zu einem der wichtigsten Klöster Irlands und Grabstätte der irischen Hochkönige von Connaught und Tara. Die Erinnerung an Ciarán lebt in vielen Geschichten und Legenden weiter. So soll er eine Kuh besessen haben, die so viel Milch gab, dass das ganze Kloster davon leben konnte. Aus ihrer Haut wurde das Leder für den Einband des *Book of Dun Cow* hergestellt, das mit den *Annals of Clonmacnoise* und den *Annals of Tigernach* zu den berühmten Handschriften zählt, die im Scriptorium des Klosters Clonmacnoise erarbeitet wurden. Nach mehreren Wikinger- und Normannenüberfällen begann Clonmacnoise ab dem 13. Jahrhundert zu verfallen, 1552 legte die englische Garnison aus Athlone Clonmacnoise in Schutt und Asche.

Das religiöse Zentrum Irlands

Noch heute besuchen Tausende Pilger und Gäste an Ciaráns Ehrentag, dem 9. September, das Kloster am Fluss. Die meisten kommen auch heute noch so, wie es die Pilger zu Ciaráns Zeiten taten: mit einfachen Booten den Shannon hinauf. Das heutige Bild der Anlage bezieht seine Faszination, die von ihr ausgeht, aus dem Zusammenspiel von Ruinen, Hochkreuzen, Rundturm und dem Fluss in der Biegung, der wie ein Strom des Lebens an Clonmacnoise vorbeizieht. Das bedeutendste Hochkreuz ist das Bibelkreuz, mit seinen vier Metern Höhe eines der kunstvollsten in ganz Irland. Es thematisiert das Jüngste Gericht, die Kreuzigung und das Grab Christi. Clonmacnoise besitzt auch eine große Zahl an Grabtischen und neben sechs kleineren Kirchen die Überreste einer Kathedrale aus dem 12. Jahrhundert. Besonders beeindruckt aber die kleine Kirche des Ciarán mitten in der Anlage, in der der Heilige begraben liegt. Sie ist mit vier mal drei Metern zwar die kleinste Kirche, doch geht von ihr eine große Kraft aus, die jeder spürt, ob er nun gläubig ist oder nicht. Am Eingang zum Klosterkomplex wurden drei kegelförmige Hütten in der traditionellen Bauweise der Mönche errichtet, die ein Museum und Ausstellungen zu Clonmacnoise beherbergen. Selbst der Einführungsfilm ist ein sehr gelungenes und einfühlsames Werk über die große Bedeutung dieses außergewöhnlichen Ortes am Shannon für die irische Geschichte.

ZUR VINTAGE WEEK NACH BIRR

Wie könnte es anders sein, auch das rund 30 Kilometer südlich von Clonmacnoise gelegene Städtchen Birr mit seinen knapp 6000 Einwohnern geht auf eine Klosteransiedlung zurück, ihre Ursprünge liegen in der Zeit der Kelten. Dominiert wird der Ort vom imposanten Birr Castle, dessen Besitzerfamilie der Parsons sich liebevoll um den Erhalt des Schlosses und der großen Landschaftsparks kümmert. Ein weiterer Höhepunkt ist im August das große Stadtfest mit Oldtimertreffen, Kunstmesse und Umzügen in historischen Gewändern, die Birr Vintage Week. www.visitbirr.ie und www.birrvintageweek.com

WEITERE INFORMATIONEN

Clonmacnoise, Shannonbridge,
Tel. (090) 967 41 95,
www.heritageireland.ie
Birr Castle, www.birrcastle.com

Regenwolken liegen über dem Land, im kleinen Cottage prasselt das Torffeuer (oben). Die Normannenburg King John's Castle (rechts unten) thront in Limerick über dem Fluss, auf dem die Ruderboote in der Minderzahl sind (rechts oben).

10 Abwechslung an den Ufern – River Shannon

Magie eines Flusses

Die Flüsse und Seen Irlands bieten eine Vielzahl an Wassersportmöglichkeiten. Bei den Freizeitkapitänen ganz besonders beliebt ist der Shannon. Entlang der Grafschaften Clare, Limerick, North Tipperary und South Offaly verbindet er spektakuläre Küsten, saftiges Weideland und idyllische Seen mit attraktiven Städten und kleinen Dörfern, urigen Pubs und historischen Burgen. Die Shannon-Region hat einen speziellen Zauber, genährt von einem majestätisch dahingleitenden Strom, der große Gelassenheit ausstrahlt.

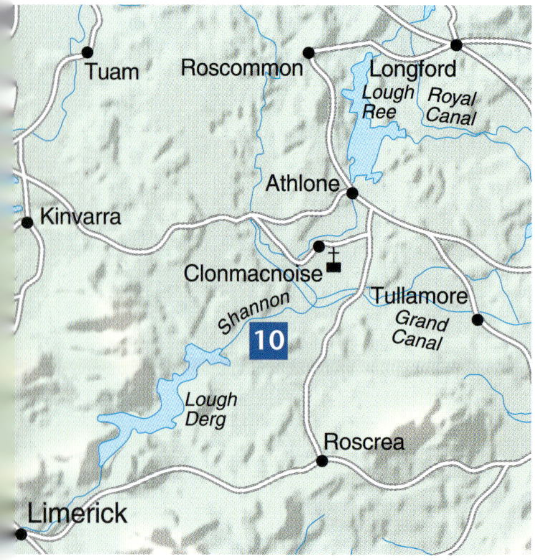

Viele der Irlandbesucher gehen auf Entdeckungsreise, nutzen dabei die Küstenstraßen und umrunden so die Insel, immer das Meer im Blick. Es geht auch anders, denn mit dem Shannon, seinen Nebenflüssen und den großen Seen vom Lough Derg bis zum Lough Erne bilden die irischen Midlands Europas größtes Binnenrevier. Mit dem Hausboot unterwegs zu einsamen Angelgründen auf der Suche nach dem Lachs der Weisheit, immer mehr Erholungsuchende tauschen am Shannon Airport das Flugzeug gegen ein kleines Boot ein und tuckern den Shannon hinauf. Eine Entdeckung der Langsamkeit in der Mitte Irlands und eine Alternative zur Küstentour.

Ein fünffaches Hoch auf Limerick

In Limerick, der Irish City of Culture 2014 an Irlands Westküste, kann man sich noch einmal so richtig austoben, bevor man sich der Ruhe des Shannon übergibt. Die Stadt an der Shannon-Mündung ist nicht nur als Rugby-, Gaelic Football- und Hurling-Hochburg bekannt, man ist auch stolz auf zahlreiche Golfplätze, Pferde- und Windhundrennbahnen. Dazu gehört dann selbstredend eine Vielzahl an Pubs and Restau-

MARY JOE

Schleusen zu überwinden gehört am Shannon zum täglichen Handwerk (oben). Der Shannon-Erne-Kanal ist über 60 Kilometer lang und verbindet Carrick-on-Shannon mit dem Lough Erne (unten). Wie Wächter der Vergangenheit stehen die Kreuze von Clonmacnoise am Fluss (rechts).

rants, Wettbüros, Musik- und Shoppingtempeln, in denen man das gewonnene Geld wieder unter die Leute bringen kann. Als lebhafte Universitäts- und Kulturstadt hat Limerick in den vergangenen Jahren kräftig sein Image aufpoliert, weg vom Aschenputteldasein im Zeichen der fünfzeiligen Verse hin zu einer modernen Großstadt, in der Altes und Neues gut miteinander harmonieren. Bereits vor 800 Jahren erhielt Limerick seine Stadtrechte. Die größte Sehenswürdigkeit, neben dem schmucken Stadion Thomond Park, in dem im Oktober 1978 in einem unvergessenen Match das Munster-Team die neuseeländischen All Blacks 12:0 besiegte, ist St. John's Castle auf der Halbinsel zwischen dem River Shannon und dem Abbey River. King's Island ist zugleich der älteste Stadtteil Limericks. Gegenüber im Newtown-Pery-Viertel findet man wunderbare georgianische Stadtarchitektur. King John stattete im Jahr 1210 Limerick einen Besuch ab, um sich über den Fortgang der Bauarbeiten an seiner Burg persönlich zu informieren, vielleicht kam ihm ein Limerick über *his majesty himself* zu Ohren, wiedergekommen ist er jedenfalls nicht. Dabei ist die normannische Burg durchaus sehenswert, denn auch hier hat man die Kombination von alten Festungsmauern mit einem modernen Besucherzentrum aus Stahl und Glas gewagt. Wem das zu modern erscheint, stattet dem Nancy Blake's Pub in der Upper Denmark Street einen Besuch ab, hier ist alles noch wie anno dazumal.

Siannan und der Baum der Weisheit

Der Bootsmotor tuckert leise vor sich hin, Schwäne gleiten über das Wasser, Vögel zwitschern am Ufer, das Hausboot schaukelt auf den sanften Wellen, und Blesshühner tauchen auf und ab. So vergeht die Zeit ohne Stress und Gedanken an die 345 Kilometer, die der Shannon sich unbegradigt durch die Ebene schlängelt. In Carrick-on-Shannon, das seit der Vollendung des Shannon-Erne-Waterway einen großen Aufschwung erlebt hat, erinnert eine Tafel an die Entstehungslegende des Flusses. Siannan, die Tochter des Meeresgotts Manannan MacLir, reiste einst zum Shannon Pot am Cuilcagh Mountain, einem kleinen See in der Umgebung von Enniskillen, in dem die Quelle des Shannon sprudelt. Dort hatten die Druiden einen Baum des Wissens gepflanzt. Siannan griff nach den verbotenen Früchten, und kaum hatte sie einen Bissen geschluckt, erhob sich der See, riss Siannan in die Tiefe und trug sie mit einer gewaltigen Flutwelle durch das Land. So entstand der Fluss Shannon. Nicht nur sein Flusslauf ist abwechslungsreich, seine wechseln-

den Uferlandschaften sind ein Genuss für das Auge und die Seele; auch wechselt die Strömung von gemächlich bis stärker, mal sind seine Wasser kristallklar, dann wieder torftrüb und blaugrün. Immer aber ist der Shannon ein Paradies für Angler: Ob Hecht oder Friedfisch, am Shannon findet sich immer ein Plätzchen, an dem einer anbeißt.

Lough Derg, Ree, Allen und Lough Key

Zum Anbeißen und Verlieben sind auch die großen Seen, in die der Shannon eingebettet ist. Da ist zunächst der Lough Derg zu nennen, an dessen Südende das Dorf Killaloe vor rund 1000 Jahren Residenz des Königs Brian Boru war. Die Berge um den See, die vielen kleinen Buchten und Häfen machen die Schönheit dieses 13 000 Hektar großen Gewässers aus. Es ist diese imposante Größe des Lough Derg, die eine völlige Abgeschiedenheit ermöglicht, wo andererseits aber ein kleiner Ort mit gastfreundlichen Bewohnern niemals weit entfernt ist. Ob Portumna, Dromineer, Mountshannon, Nenagh oder Scariff, überall findet man irische Traditionen und zeitgemäße Freizeitangebote. Der weitverzweigte Lough Ree liegt mitten im geografischen Herzen Irlands. Südlich von Tarmonbarry schlängelt sich der Shannon durch eine flache Moorlandschaft mit nur wenigen Ansiedlungen. Der See ist immerhin 32 Kilometer lang und bis zu zehn Kilometer breit; der Sage nach liegt im Lough Ree eine versunkene Stadt, einige der 50 Inseln im See waren einst von Mönchen bewohnt. Über Lough Ree breitet sich eine geheimnisvolle, fast unwirkliche Stimmung aus, die Klosterruinen auf den Inseln Inchcleraun, Inchbofin und Hare Island verstärken diese mystische Atmosphäre. Auf Hare Island ließ sich eine Zeit lang auch der heilige Ciarán nieder, bevor er weiter in Richtung Süden zog und Clonmacnoise gründete.

Die weiter flussaufwärts gelegenen Lough Allen und Lough Key sind zwei Binnenseen mit unterschiedlichem Charakter. Manche Freizeitkapitäne, aber auch Landratten bezeichnen den Lough Key mit dem herrlichen Städtchen Boyle am Westufer als den schönsten See im Shannon. Das kann jeder für sich selbst entscheiden, denn auch der weiter nördlich gelegene Lough Allen hat seine Reize. Er misst zwar nur eine Länge von zwölf Kilometern, liegt aber majestätisch da wie ein Fußabdruck der Riesen vergangener Zeiten. Seine Ufer säumt eine wilde, verlassen erscheinende Natur, im Osten wacht der Iron Mountain, an der Westküste findet man die Kohleberge von Arigna. Der Shannon und seine Ufer sind auch hier höchst abwechslungsreich.

BOGEY FRIERT IN FOYNES

Das verträumte Nest Foynes an der Shannon-Mündung wäre unbekannt, gäbe es nicht die Geschichte von Bogey und den Wasserflugzeugen. Zwischen 1939 und 1945 war Foynes das Weltzentrum des Atlantikflugverkehrs: Hier landete am 9. Juni 1939 das Luxuswasserflugzeug Yankee Clipper, der erste direkte Passagierflug zwischen den USA und Europa. Viele Prominente folgten. Humphrey Bogart, der am späten Novemberabend 1942 hier landete, machte wohl einen so verfrorenen Eindruck, dass der Küchenchef des Flughafens, Joe Sheridan, einen Schluck Whiskey in seinen Kaffee gab. »Mein Freund, ist das brasilianischer Kaffee?« »Nein, das ist Irish Coffee«, antwortete Joe – und die Legende war geboren.

WEITERE INFORMATIONEN

Discovering Ireland Vacations, St. Mary's Road, Newcastlewest, Tel. 18009639260, www.discoveringireland.com/shannon
Websites: www.flyingboatmuseum.com, www.waterwaysireland.org

Süden und Südwesten

Vom milden Klima verwöhnt

Von Garnish Point, Irlands südwestlichstem Punkt, blickt man zu Dursey Island hinüber (links). Tintern Abbey (12. Jh.) war 440 Jahre lang eine der bedeutendsten Zisterzienserabteien Irlands (oben). Schulkinder in Dingle Town – echte »Kerry Boys« (unten)!

Auf der kleinen Insel Sherkin Island findet man bizarre Felsen, aber auch versteckte Buchten mit paradiesischen Sandstränden, die man fast für sich alleine hat.

Route durch den Süden

Träumen von der Südsee

Der Golfstrom, der in den Breitengraden Nordeuropas im Nordatlantikstrom seine Fortsetzung findet, bringt nicht nur warmes Meereswasser an die Süd- und Westküsten Irlands, er sorgt auch dafür, dass hier ein gemäßigtes Klima vorherrscht. Tropische Vegetation lässt an südliche Gefilde denken.

Eine Rundreise durch die Grafschaften Cork und Kerry im Süden und Südwesten Irlands ist immer wieder ein besonderes Erlebnis. Selbst erfahrene Irlandreisende entdecken hier immer wieder etwas Neues. Und auch jene, die auf der Insel zu Hause sind und wahrlich genug Abwechslung in ihrer Urlaubsplatzwahl haben, kommen immer wieder hierher zurück. Von fruchtbaren Hügellandschaften über einsame Berge, wild-romantische Küsten und verträumte Dörfer bis zu lebhaften Städten findet man hier alles, was das Herz begehrt. Von 15 **Cork,** Irlands zweitgrößter Stadt aus, führt der Weg zunächst gen Westen zur 19 **Bantry Bay.** Von dort aus geht es mit einem Abstecher über die 20 **Beara-Halbinsel** weiter über das lebhafte 21 **Killarney** nach *Portmagee*, von hier aus gelangt man nach *Valentia Island* oder zu den 23 **Skellig-Inseln.** Über die 24 **Dingle-Halbinsel** und Tralee fährt man wieder in Richtung Osten zum 13 **Rock of Cashel,** nach 11 **Kilkenny,** 14 **Ardmore,** zum 12 **Hook Head** und zurück nach Cork. Eine Tour, für die man zehn bis zwölf Tage veranschlagen sollte.

Beliebt: Tralee und Killarney

Ein gelegentlich auf dieser Tour unterschätzter Ort ist Tralee, dem allzu schnell das Etikett »Touristenrummel« angeheftet wird. Das mag vor allem im August zutreffen, wenn die Schönheitskönigin »Rose of Tralee« während eines großen Festivals gekürt wird. Zwei weitere Attraktionen unterschiedlicher Ausrichtung lohnen einen Besuch: Vor allen bei Familien beliebt ist der Aquadome Tralee, ein modernes Spaß- und Erholungsbad mit Riesenrutschen, Grotten und Whirlpools unter einer futuristisch anmutenden Glaskuppel. Traditioneller, aber nicht weniger interessant geht es im gälischsprachigen Nationaltheater Siamsa Tire zu. Hier gibt es Tanz-, Theater- und Konzertveranstaltungen in einem Gebäude, das einer keltischen Befestigungsanlage nachempfunden wurde.

Noch ein Wort zu Killarney: Wenn eine Stadt wie Killarney, in der im 19. Jahrhundert der Tourismus auf der Insel nach einem Besuch von Königin Viktoria so richtig begann, sich bis heute auf der Landkarte der Urlauber einen festen Platz gesichert hat, dann muss schon etwas dran sein an diesem Rang. Sicher, hier geht es gerade in den Sommermonaten lebhaft zu, nicht umsonst hat Killarney nach der Hauptstadt Dublin das zweitgrößte Hotelbettenangebot Irlands vorzuweisen. Doch es hat bis heute seinen einladenden und gastfreundlichen Charakter bewahrt.

Ausflug nach Sherkin Island

Bevor man die Bantry Bay erreicht, lohnt sich ein Abstecher nach Sherkin Island. Nur knapp fünf Kilometer lang, anderthalb Kilometer breit, rund 100 Einwohner, aber noch immer eine eigene Schule: Sherkin Island in der Grafschaft Cork stemmt sich gegen das Vergessen. Man zweifelt zuerst, ob es die Überfahrt wert ist. Am besten schmeißt man sogleich alle Bedenken über Bord, denn Sherkin Island ist Traumort, in dem die Uhren anders ticken. Vor allem sieht man hier kaum eine davon, der Lebensrhythmus wird von der mehrmals täglich anlegenden Fähre von Baltimore mitbestimmt und den vielen Möglichkeiten, mit Nachbarn oder Besuchern ein Schwätzchen zu halten. Die Insel war der Stammsitz des O'Driscoll-Clans, noch heute thront das Castle über dem Pier, auf der anderen Seite grüßen die Überreste eines Franziskaner-

toureninfo

Start: Cork
Ziel: Bantry – Killarney – Dingle – Kilkenny – Ardmore
Länge: 890 Kilometer
Dauer: 10 Tage
Beste Reisezeit: Das zeitige Frühjahr und ab September.
Sehenswertes: Der Ring of Kerry, auch wenn er oft stark befahren ist.
Unterkunft: Ein Zimmer mit Meerblick im Maritime Hotel in Bantry – und dann den Sonnenaufgang genießen!
www.themaritime.ie

Weitere Infos

Er gehört zu den schönsten Rundstrecken, die Irland zu bieten hat: der Ring of Kerry. Die knapp 180 Kilometer lange Strecke rund um die Iveragh-Halbinsel sollte man sich nicht entgehen lassen, auch wenn der Verkehr in der Hauptsaison oft aberwitzige Züge annimmt. Vorsicht: In mancher Kurve kommt einem plötzlich ein Reisebus entgegen. Aber es lohnt sich.

klosters aus dem 15. Jahrhundert. Drei wunderschöne Sandstrände wie der Silver Strand, geschützte Buchten, kaum Verkehr und einsame Wanderwege machen die Insel zu einem kleinen Paradies. Manche Künstler suchen hier Ruhe, Erholung und Inspiration. Sicher trifft man auch Dolly O'Reilly, die hier geboren wurde, hier lebt und einen lesenswerten Führer über die Lokalgeschichte geschrieben hat. Von ihr erfährt man alles über die Insel und zu jedem, der mit Sherkin Island etwas zu tun hat. Man erkundigt sich nach einer Ferienunterkunft und studiert auf der Rückfahrt schon einmal den Fahrplan, denn sicher wird man wiederkommen nach Sherkin Island.

Das in einem pittoresken Steinhäuschen untergebrachte Matt The Millers Bar & Restaurant ist in Kilkenny eine Institution (oben). Durch die viktorianischen Gemäuer von Kilkenny Castle spukt der Geist der Petronella, die hier 1324 als Hexe auf dem Scheiterhaufen starb (rechts).

11 Bei den Normannen – Kilkenny und Jerpoint

Das Mittelalter hat überlebt

Auch im Landesinnern hat Irland einige Reiseziele zu bieten, die den Küstenregionen an Attraktivität keineswegs nachstehen. Das County Kilkenny im Südosten zum Beispiel ist mit seinen Tälern der Flüsse Barrow, Nore und Suir, dem normannischen Erbe, einer stolzen Kilkenny Town und prächtigen Klöstern wie Jerpoint Abbey eine Entdeckungsreise wert.

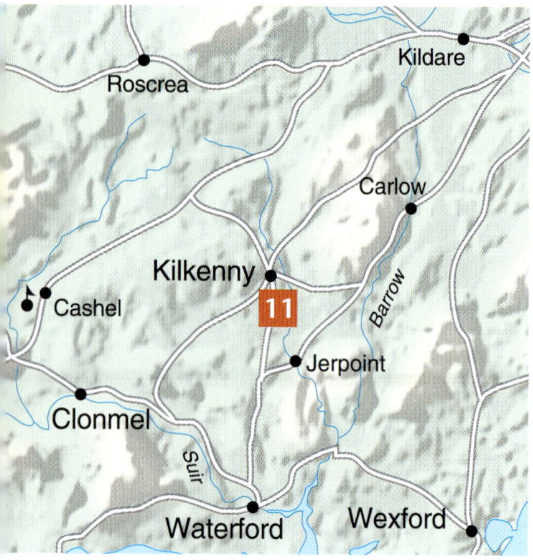

Wer durch die Grafschaft Kilkenny reist, findet an Landschaften alles, was er sich unter Irland vorgestellt hat: Sanfte Hügel, Wiesen und Täler in allen Grünschattierungen, kleine Flüsse, romantische Ortschaften mit mittelalterlichen Gassen, mit dickem Moos bewachsene Feldsteinmauern und Relikte der jahrhundertealten irisch-normannischen Geschichte, die sich in ganz Kilkenny erhalten haben, als seien sie ein Puzzle der Vergangenheit, das zusammengesetzt werden will, um die Gegenwart zu verstehen.

Die Katze lacht in Kilkenny Town

Schon die Stadt Kilkenny selbst steckt voller Geschichte. Von den Normannen gegründet, hat sich Kilkenny sein mittelalterliches Erscheinungsbild bewahrt. Mächtige alte Steinhäuser in verwinkelten Gassen, das trutzige Kilkenny Castle, die St. Canice's-Kathedrale mit dem 65 Meter hohen Turm, die Black Abbey, mittelalterliche Stadtmauern und Tore, mancher fühlt sich nach Rothenburg ob der Tauber versetzt. Heute besitzt Kilkenny bürgerliches Flair, städtische Eleganz und ländlichen Charme gleichzeitig, ist modern und *rural* zugleich. Dabei bedeutet *rural* weit mehr als »ländlich«. Es beschreibt eine ganze Lebensphilosophie, die zwar auf dem Landleben basiert, aber bitte mit Stil und Etikette. Man braucht schon eine ganze Reihe weiterer Adjektive, um dieses Lebensgefühl zu fassen: charmant und idyllisch, ruhig

Die imposante St. Canice's Cathedral aus dem 13. Jahrhundert ist Irlands zweitgrößte Kathedrale (oben). Jerpoint Abbeys Hauptattraktion ist der Kreuzgang (unten), der faszinierende Steinmetzarbeiten birgt. Verträumte Kleinstadt am Fluss: Graiguenamanagh (rechts).

und dezent, geordnet und gediegen, höflich, naturverbunden und gesund. Der Inbegriff des *rural Ireland* sind die sanften Landschaften der Grafschaft Kilkenny, selbst Iren schwärmen von dieser Gegend. *Ireland at its best* ist da nicht übertrieben. Wer also das gute alte Irland entdecken will, der ist hier im Südosten und in Kilkenny Town genau richtig. Den Leuten aus Kilkenny sagt man nach, ihnen fehle das Gen zum Aufhören. Ein Umstand, der beim Feiern durchaus seine Vorteile hat. Ob ein wichtiges Hurling Game ansteht, das berühmte Kilkenny Arts Festival, das Cat Laughs Comedy Festival oder das Kilkenny Celtic Festival, hier gibt es das ganze Jahr hindurch etwas zu feiern.

Der Ritter von Jerpoint Abbey

Kaum ein mittelalterliches Kloster in Irland ist so gut erhalten wie Jerpoint Abbey. Alles ist still, kein Wind und kein Laut wehen über die Hügel. Majestätisch thront der Mond über Jerpoint Abbey. Nur ein Ritter steht einsam am Tor, schaut über die jetzt silbern glänzende Wiese. Noch einmal lässt er den Tag vorbeiziehen. Es war ein guter Tag. Die Mönche sind zufrieden, haben Lachs gefangen, den frisch zubereiteten Fisch am Lagerfeuer gekostet, und er hat ihnen sehr gemundet. Und es ist genug für die nächsten Tage zum Räuchern gefangen worden. Was will man mehr? Die Besucher werden wiederkommen, vielleicht, vielleicht auch nicht. Langsam wendet sich der gepanzerte Recke ab von den ins sanfte Mondlicht getauchten Wiesen, trottet gemächlich zurück zum Kloster, schaut noch einmal nach, ob alle Eingänge fest verschlossen sind, die Lanzen ragen gekreuzt in den schwarzen Himmel, wie Bohnenstangen in den Kies gestemmt. Er wird noch einen Schluck zu sich nehmen und schlafen gehen. Die Nacht wird ruhig und klar bleiben, der Mond das schlafende Jerpoint Abbey und seine Gemeinschaft der Zisterzienser bewachen. Alles ist im Lot, Gott sei Dank. Das Leben geht seinen geregelten Gang, der Ritter schaut noch einmal über die Hügel und zum Himmel: Könnte morgen ein guter Tag werden. Damit wäre auch das Rätsel gelöst, warum Jerpoint, im 12. Jahrhundert gegründet, in so einem guten Zustand ist und was die außergewöhnlichen Steinfiguren im Kreuzgang, die Heiligen und die Ritter, zu bedeuten haben. Bleibt noch herauszufinden, ob der heilige Nikolaus hier begraben liegt, von den Kreuzrittern aus Myra hierhergebracht. Aber das ist eine andere Geschichte.

Die Wolken von Graiguenamanagh

Kilkenny ist ein wahres Wanderparadies, ganz besonders in der Gegend um die romantische

Kleinstadt Graiguenamanagh herum, an den Ufern des Barrow River. Wer sich hier auf den Weg macht, den fasziniert nicht nur die abwechslungsreiche Landschaft des Flusstals und der Wiesen, Weiden und Hügel, sondern er bekommt auch eine kostenlose Lektion in Wolkenkunde. Cirrus, Cumulus und Stratus oder doch vielleicht eine Strato-Cumulus-, wenn nicht sogar eine Nimbus-Wolkenformation? Unsere Beziehungen zu den Wolken sind ja bekanntlich höchst unterschiedlich. Der Luftikus in uns will sie genau studieren, um herauszufinden, ob er vielleicht doch eine Regenjacke hätte einpacken sollen. Der Sonnenanbeter wirft meist nur einen kurzen, prüfenden Blick zum Himmel, um sich dann genüsslich weiterhin seinem Sonnenbad zu widmen. Der melancholisch Veranlagte verweilt viel länger mit seinen Augen in der Höhe und hängt seinen Träumen nach. Und das Kind in uns entdeckt in ihnen gar Riesen mit gekrümmter Nase, Ritter mit Lanzen zu Pferd oder auch Feen beim Schwingen ihres Zauberstabs.

Einer Verzauberung der besonderen Art unterliegt man, wenn man beim Wandern in Kilkenny die Weite des Himmels und die Gestaltenvielfalt der Wolken lesen lernt. Hier erfahren wir, von unsichtbarer Hand geleitet, wie sich Schäfchenwolken – diese ursprünglich französische Bezeichnung schlich sich übrigens Mitte des 19. Jahrhunderts in die revolutionäre Wolkenklassifizierung des Engländers Luke Howard aus dem Jahr 1802 ein – auf das Wetter in der Gegend von Graiguenamanagh auswirken. Und wir lernen gelassen zu bleiben, denn ändern können wir das Wetter jetzt und hier und gleich sowieso nicht. Aber wir können gerade hier, im Südosten des Landes, einzigartige Wolkengebilde erleben, flüchtige Erscheinungen ebenso wie dauerhaft sichtbare, dramatische Gebilde mit metaphorischem Reiz. Wenn wir uns dann vor Augen führen, dass niemand ein und dieselbe Wolke zweimal sehen kann, lohnt sich der Blick beim Wandern sowohl in die Weite der Hügellandschaft mit ihren Erscheinungen als auch zum Himmel über uns.

Spätestens wenn man an der schönen, mit sechs Bögen ausgestatteten Steinbrücke in Graiguenamanagh angekommen ist, sollte man den Blick dann aber doch wieder in die Horizontale richten, sonst holt man sich nasse Füße, und das will doch wirklich keiner. Es sei denn, man will noch schwimmen gehen.

KINDERREICHE FAMILIE

Eine Großfamilie war im Mittelalter keine Seltenheit, das Single-Dasein den Eremiten vorbehalten. Über einen reichen Kindersegen konnten sich auch John Rothe und seine Frau Rose Archer freuen, zwölf an der Zahl galt es großzuziehen. Ihr Haus an der Parliament Street in Kilkenny samt Garten, eigener Bäckerei und Brauerei, 1594 bis 1604 erbaut und bis 1691 von der Kaufmannsfamilie bewohnt, gilt als der einzige in Irland noch erhaltene Gebäudekomplex aus der Tudorzeit. Auch das Museum zur Stadtgeschichte ist hier untergebracht. Eine Kostümsammlung, ein Wikingerschwert, ein kunstvoll verziertes Dachgebälk und archäologische Funde aus dem County lassen das 16. und 17. Jahrhundert wieder auferstehen.

WEITERE INFORMATIONEN

Tourist Information Office, Shee Alms House, Rose Inn Street, Kilkenny, Tel. (056) 775 15 00, www.visitkilkenny.ie
Websites: www.stcanicescathedral.ie, www.kilkennyarts.ie, www.rothehouse.com

12 Irische Romantik – Hook Head

Irlands vergessene Schönheit

Die Halbinsel Hook, im Südosten zwischen Wexford und Waterford gelegen, vereint so ziemlich alles, was Irland-Romantiker suchen: einsame Buchten, verlassene Ruinen, Steinwälle, fruchtbare Felder und saftige Wiesen, kleine Landstraßen mit meterhohen Fuchsienhecken – und über allem ein dramatischer Wolkenhimmel. Einladende kleine Pubs und versteckte Restaurants bieten *drinks and meals*, frisch gezapft und soeben aus dem Meer gefischt. Ein Ort, an dem man hängen bleiben kann.

Der mächtige Leuchtturm am Hook Head mit seinen hübschen rot-weißen Gebäuden hält Wind, Wetter und tosender See stand (unten und rechts).

Auf den ersten Blick fragen sich viele, die sich von Wexford aus in Richtung Waterford auf den Weg machen, um Dungarvan, Youghal und Cork zu besuchen, warum man einen Schlenker zum Hook Head machen sollte. Zu unspektakulär erscheint die kleine Halbinsel, die sich wie ein Seepferdchen in die Irische See streckt. Das ist allerdings nur der erste Eindruck, auf den man sich in diesem Fall nicht verlassen sollte. Denn wer näher und länger hinschaut, entdeckt die Schönheiten einer Halbinsel, die zwar keine spektakulären Touristenattraktionen bietet, dafür aber umso mehr eine harmonische Erholungslandschaft wie aus einem Guss.

Irisches Tintern Abbey

Die Irische See ist bekanntermaßen gelegentlich recht rau, eine Schiffsüberfahrt also nicht immer ein Vergnügen. Das war im Mittelalter nicht anders: Offenbar hatte William the Marshal Earl of Pembroke, im Jahr 1200 gerade zum Regenten über Leinster ernannt, einen ganz schlechten Tag erwischt. Die Überfahrt

Die Treppen zum Wohnraum der Leuchtturmwärter (unten) führen hinauf zu einem noch gut erhaltenen Kreuzgewölbe aus dem Mittelalter (oben). Die Festung am Hafen von Duncannon sollte vor der Armada schützen (rechts).

zu seinen neuen Ländereien in Irland überstand er mit knapper Not, was ihn dazu veranlasste, aus Dankbarkeit ein Kloster auf der Hook-Halbinsel bauen zu lassen. Er nannte es Tintern Abbey, wie das berühmte Vorbild im walisischen Wyetal, über das der Gnädigste ebenfalls die Schutzherrschaft besaß.
Sein irisches Tintern wurde folgerichtig mit Mönchen aus dem Waliser Mutterhaus besiedelt und entwickelte sich im Laufe der nächsten Jahrhunderte zu einer der prächtigsten und reichsten Zisterzienserabteien in ganz Irland.

In den vergangenen Jahren wurde Tintern Abbey umfangreich restauriert, sodass dieses Kulturdenkmal mittlerweile wieder besichtigt werden kann – und zwar völlig gefahrlos, auch wenn in dem alten Gemäuer Fledermäuse ihre Nistplätze gefunden haben.

Abtauchen am Hook Head

Schon die Fahrt zur Spitze der Hook-Halbinsel ist traumhaft, der Blick geht über weites, offenes Land aufs Meer hinaus und reicht an klaren Tagen bis hinauf zu den Galtee Mountains.
Am Kap steht – wie könnte es anders sein – ein Leuchtturm. Und noch dazu ein besonders schönes Exemplar aus dem 13. Jahrhundert, was ihn zum ältesten Leuchtturm in Nordeuropa macht. Der schwarz-weiß gestreifte Turm hat ein Heritage Centre mit Café und Souvenirladen bekommen und kann im Rahmen von Führungen besichtigt werden.
Schon im 5. Jahrhundert sollen Mönche hier ein Leuchtfeuer unterhalten haben, wofür sie im Gegenzug von den Wikingern auf ihren Streifzügen verschont wurden. Der erste Turm wurde Ende des 12. Jahrhunderts vom normannischen Heerführer Raymond le Gros errichtet. Auch wenn man die 150 Stufen heute nur mit einem Führer erklimmen darf, lohnt sich der Aufstieg dennoch. Der Blick von oben ist wunderbar, und unten wieder angekommen, kann man auf Spaziergängen am Kap so manche ins schwarze Kalksteinmassiv eingebrannte Fossilie entdecken. Bei Ebbe lohnen sich Ausflüge zu den Stränden und Buchten von Grange oder Baginbun; hier hat schon mancher zwischen Dezember und Februar Wale gesichtet. Auch für Vogelbeobachtungen eignet sich Hook Head ausgezeichnet, über 200 Arten wurden schon gezählt. Erfahrene Taucher finden unterhalb des Leuchtturms und an der Südwestspitze viele Grotten und bizarre Unterwasserlandschaften. Wem das Meer hier zu stürmisch ist, dem sei ein Tauchgang bei Churchtown oder südlich von Slade Harbour empfohlen. Und selbst beim Schnorcheln entdeckt man die wunderbare Unterwasserwelt.

Faulenzen in Fethard-on-Sea

Rund 330 Einwohner zählt das idyllische Fethard-on-Sea, das, wenn man diesen Begriff überhaupt benutzen darf, als Hauptort der Hook-Halbinsel gilt. Hier begann die Eroberung Irlands durch die Normannen im Jahr 1169, Reste der Befestigungsanlage und die Ruine einer Kirche aus dem 9. Jahrhundert sind noch zu sehen.
Kleine B&B-Pensionen, ein Hotel und etwas nördlich vom »Zentrum« ein Camping- und Caravanpark laden zum Verweilen ein. Außerdem natürlich eine Snackstube, die neben anderen leckeren Imbissen die besten Fish and Chips brutzelt, die man sich vorstellen kann. Und in der einsamen Sandbucht von Baginbun findet man den richtigen Platz für die verdiente Mittagsruhe, ohne Gefahr zu laufen, von Wikingern, Normannen, Napoleon, der Armada oder von sonst jemandem überfallen zu werden. Dafür strahlt der Leuchtturm am Hook Head doch viel zu schön, als dass man sich an diesem idyllischen Landstrich Verwüstungen vorstellen könnte.

Speisen in Duncannon

Auf dem Weg vom Leuchtturm zum zweiten Dorfzentrum Duncannon, an der Westseite der Halbinsel gelegen, passiert man das einladende Straßen-Pub Roches Bar, schlägt aber diese freundliche Offerte zunächst einmal aus, um sich etwas weiter südlich des Ortes die Reste einer mittelalterlichen Kirche anzuschauen. Heinrich II. war es, der den Templern hier Ländereien schenkte, auf denen die Ritter Templetown als ihren Hauptstützpunkt errichteten und in den folgenden Jahren die Gegend mit mehreren Gotteshäusern beglückten, so auch mit dieser Kirche. Neben der Kirche erkennt man auf einer Steinplatte Lamm und Kruzifix, das Zeichen des Templerordens.
Der kleine Ferienort wirkt heiter und entspannt, hier gibt es keine Hektik und keine Touristenmassen, dafür einen wunderschönen Sandstrand und jedes Jahr im Juli ein internationales Sandskulpturen-Festival, das nicht zu einer puren Jagd auf Preise ausgeartet ist, sondern noch immer das spielerisch-künstlerische Element in den Vordergrund stellt. Westlich von Duncannon liegt das gleichnamige Fort, das im Jahr 1588 zur Abwehr eines Armada-Angriffs errichtet wurde. Hier wurden Teile des berühmten Filmepos *Der Graf von Monte Christo* gedreht. Zur Festung gehören heute ein Meeresmuseum und ein Café, doch gespeist wird in Roches Bar & Restaurant, und zwar am besten eines der schmackhaften Steak-Gerichte oder frische Meeresfrüchte, für deren Qualität die gesamte Hook-Halbinsel bekannt ist.

DIE ABTEI DER RÄUBER

Dunbrody Abbey, idyllisch am Zusammenfluss von Suir und Barrow gelegen, bildet das Tor zur Hook-Halbinsel. Das 60 Meter lange gotische Kirchenschiff gibt ein beeindruckendes Bild ab. Es wurde 1170 von Herve de Montmorency, einem Normanneneroberer in der Streitmacht des berühmt-berüchtigten Lord Strongbow, in Auftrag gegeben. Weithin bekannt wurde es, weil es auf Geheiß von Montmorency auch Gesetzesbrechern Schutz gewähren musste. Das schien die Mönchsgemeinschaft zu beeinflussen: Laut den Annalen von 1355 warf man dem Abt und zwei Mönchen vor, in Tintern Abbey Pferde gestohlen zu haben … Den Irrgarten am Kloster sollte man rechtzeitig vor Einbruch der Dunkelheit wieder verlassen haben!

WEITERE INFORMATIONEN

Hook Rural Tourism, Duncannon, New Ross, Tel. (051) 38 95 30, www.hookpeninsula.com
Websites: www.visitwexford.ie, www.dunbrodyabbey.com

Hore Abbey, am Hang in Cashel gelegen, war die letzte Zisterziensergründung in Irland.

13 Mystisch – Rock of Cashel

Irlands berühmtester Königsfelsen

Tipperary ist das Land im Süden der Insel mit einer schier endlos erscheinenden Ebene, kleinen grünen Hügeln und fruchtbarem Boden. Wie aus dem Nichts ragt in dieser Weite plötzlich ein kleines Städtchen auf – und der mächtige, mystische Rock of Cashel.

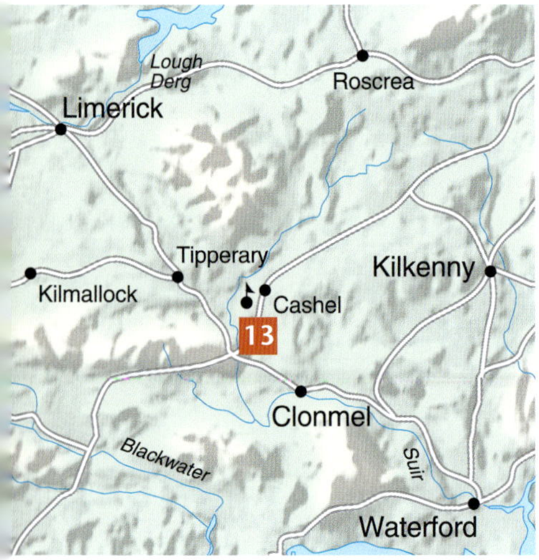

Der Felsen ist eine der großen historischen Stätten Irlands, Sitz der Könige von Munster. Hier wurde im 10. Jahrhundert der tapfere Brian Boru zum König von Irland gekrönt, und im 12. Jahrhundert war der Rock of Cashel Sitz des Erzbischofs. Selbstverständlich war auch der heilige Patrick hier, um 450 muss es gewesen sein, als er im Kastell König Aengus zum Christentum bekehrte. Eine mächtige Mauer umschließt noch heute einen kreisförmigen Hof, einen Rundturm, eine Kirche, die schönste romanische Kapelle Irlands und einen Friedhof mit mehreren Hochkreuzen. Eine schaurig-schöne Atmosphäre geht vom Rock of Cashel am Abend aus, wenn die Dämmerung hereinbricht und die Spitzen und Türme der ehrwürdigen Gemäuer wie Wächter aus einer anderen Welt erscheinen.

Ein unverdaulicher Bissen

So verwundert es nicht, dass zahlreiche Mythen und Legenden um den mächtigen Felsen im Laufe der Jahrhunderte entstanden sind. Schon bei seiner Entstehung soll es mit dem Teufel zugegangen sein. Und das ist hier durchaus wörtlich zu nehmen. Denn die Legende erzählt, dass der Teufel den Rock of Cashel höchstpersönlich erschaffen hat, als er einst von einem großen Hunger überfallen wurde. So biss er ein Stück ab vom Berg Devil's Bit, doch es scheint ihm nicht verdaulich gewesen zu sein: Er spuckte den Bissen in hohem Bogen wieder aus, der landete mitten in Tipperary, und der Rock of Cashel war geboren. Ein Sitz der Hochkönige, der Bischöfe, vom Teufel erschaffen, das hat etwas ...

Info: www.tipperary.com

14 Ein Heiliger im Zentrum – Ardmore

Die Skulpturen an der Westseite der wahrscheinlich ältesten Klosteranlage Irlands zeigen den Erzengel Michael, der beim Jüngsten Gericht die Seelen wiegt.

Seebad mit Charme

Auf halber Strecke zwischen Cork und Waterford liegt ein kleiner historischer Badeort, der sich einen guten Ruf erworben hat: Ardmore hat mehr zu bieten als schicke bunte Häuserzeilen und einen goldgelb leuchtenden Sandstrand.

Ardmore setzt in seinem gesamten Erscheinungsbild mehr auf Qualität statt auf Quantität. Ein Rundturm aus dem 12. Jahrhundert wacht über dem Seebad, das seinen Charakter als eines der schönsten Dörfer Irlands nicht verspielen will. Hier gibt es keine exklusiven Gourmetrestaurants wie in Kinsale, keine Shoppingcenter und auch keine Vergnügungsviertel. Dafür kann man sich in aller Ruhe erholen, auf den Klippen über dem Meer wandern und den Spuren des St. Declan folgen. Letzterer, ein walisischer Abt, gründete hier schon im 5. Jahrhundert, also sogar noch bevor St. Patrick das ganze Land missionierte, das Kloster Ardmore. Der Sage nach soll ein großer Felsbrocken vor seinem Schiff hergeschwommen sein und ihm so den Weg zur Bucht angezeigt haben.

Der Stein des heiligen Declan

Rund um Ardmore dreht sich fast alles um den heiligen Declan. Am Südende des Strandes liegt ein Findling, der sich geologisch deutlich von den anderen Gesteinen der Gegend absetzt und dem magische Kräfte nachgesagt werden. Ob dieser nun jener Stein ist, der dem Heiligen den Weg von der walisischen zur irischen Küste gezeigt haben soll, oder ob er einfach nur während der Eiszeit hier angeschwemmt wurde, wer weiß das schon. Tatsache ist aber, dass jedes Jahr am 24. Juli, dem Namenstag des Heiligen, eine große Prozession ihm zu Ehren stattfindet, die die Teilnehmer von der Klosterruine über St. Declan's Well (eine Quelle) bis hierher führt.
Info: www.ardmorewaterford.com, www.thecliffhousehotel.com

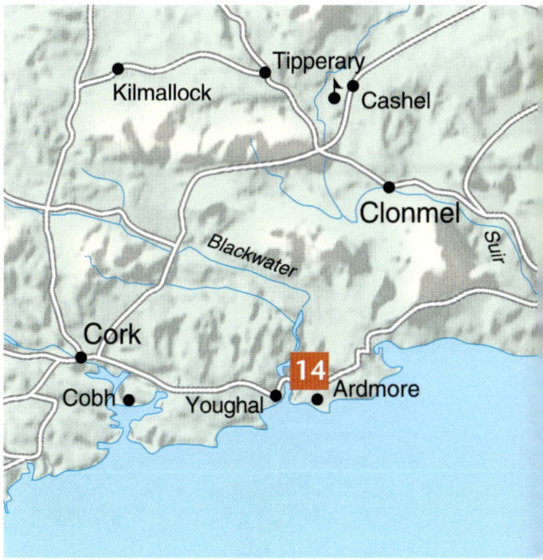

Der Pub An Spailpín Fanach in Cork wird als der älteste des Landes gehandelt (oben). Die Kathedrale von St. Finbarre ist das Meisterwerk von William Burges, ihr Glockenspiel ist weithin zu hören (rechts).

15 Rebellen am Lee – Cork City

Die Stadt, der Jazz und der Durst

Irland steckt voller Geschichten. In Cork, der zweitgrößten Stadt der Republik, kommt noch etwas hinzu: südländische Lebensfreude und ein Schuss Rebellentum. Die Stadt hat sich in ihrer Geschichte einen Namen als Widerstandsnest gemacht, noch heute gelten die 130 000 Corkonians als selbstbewusst, geistreich und witzig. Das stellen sie besonders im Herbst während des Cork-Jazzfestivals unter Beweis. Da bleiben kein Auge und keine Kehle trocken.

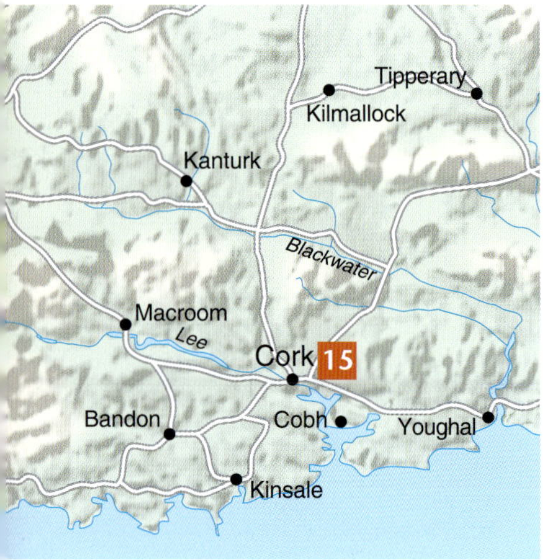

Nur Reisen ist Leben, wie umgekehrt das Leben Reisen ist.« Das stammt nicht von Jonathan Swift, William Butler Yeats oder James Joyce, den irischen Klassikern der Weltliteratur, sondern von Jean Paul, jenem Freidenker unter den deutschen Romantikern, der mit seinen unkonventionellen Schriften und absonderlichen Figuren gut nach Cork gepasst hätte. Nach dieser Erkenntnis ist das Leben ein unentwegtes Suchen nach dem Ziel. Keine Sorge, man wird Sie hier nicht länger mit existenzialphilosophischen Diskursen langweilen, doch wer nach Cork reist, sollte sich darauf gefasst machen, dass an fast jeder Ecke ein Philosoph mit seinen Geschichten lauert, der dem Fremden den Weg weist, wohin auch immer. Und eine Vorwegnahme sei erlaubt: In Cork, der aufregenden, lebendigen und doch melancholischen *rebel city* am Fluss Lee, scheint man dem Ziel sehr nahegekommen zu sein.

Taxi zur City

Die Kunst des Geschichtenerzählens von Humoresken und kleinen Tragödien ist im Alltag der Corkonians so tief verwurzelt wie der Wechsel von Sonne und Regen. Man braucht nur Augen und Ohren offen zu halten und ein wenig Muße signalisieren, schon wird man

ORDE'S FUNERAL HOME

Die viktorianischen Markthallen bieten alles, was das Herz begehrt (oben). Im Cork City Gaol, heute ein Museum, waren im vergangenen Jahrhundert Gefangene untergebracht (unten). In der St. Patrick Street schlägt der Puls der Stadt (rechts).

vom Zuhörer zum Mitspieler, denn es gibt kaum etwas, das den Einwohnern Corks so viel Spaß macht wie eine gute Unterhaltung unter Freunden. Da ist zum Beispiel die Geschichte einer Taxifahrt vom Flughafen Cork in die Innenstadt. Wer außerhalb des Airport-Gebäudes ein Taxi sucht, wird nicht selten von einem netten Herren mit kleinem Aktenkoffer angesprochen, nennen wir ihn Paddy. Der fragt dann zuerst einmal mit entwaffnendem Lächeln, woher kommst du, was machst du hier, wie viele Kinder hast du, weißt du schon, dass es wegen des verdammten Jazz-Weekends keine Zimmer mehr in Cork gibt, und was hältst du vom Wetter, bevor er sagt, was er eigentlich will: Wir könnten uns das Taxi in die Stadt teilen.

Jazz vom Feinsten

Oder die Geschichte des Cork-Jazzfestivals. Dass der Hauptsponsor Guinness heißt, stört keinen; so dürfen auch Dubliner die Stadttore Corks im Oktober ungehindert passieren. Außerdem braucht man sich keine Sorgen zu machen, denn der goldene Engel auf der St.-Finbarre-Kathedrale läuft der Legende nach grün an, wenn das Ende der Welt naht, und seine Posaunenklänge sollen angeblich alle Corkonians so früh warnen, dass genug Zeit bleibt, sich in Sicherheit zu bringen. Wenn zu viele Dubliner kämen, würde er sich sicher melden. Wenn das Festival in Gang ist, gibt es kein Entrinnen: Die 40 000 Besucher aus aller Welt, die jährlich über zehn Millionen Euro in die Stadt bringen, wenn sie das mittlerweile zu den bedeutendsten Jazz-Events Europas aufgestiegene Musikfest mitfeiern, verwandeln das ansonsten meist nur als Durchgangsstadt dienende Cork in ein Meer aus Gesang, Tanz und Lebensfreude. Die Nacht wird zum Tag und der Tag zur Nacht, im Imperial Hotel an der South Mall, in der Oyster Bar auf der Market Lane, im Old Oak Pub an der Plunkett Street, im Reardens oder in der Lobby Bar am Union Quay, überall wird geswingt, gesungen, getrunken. Als 1978 ein paar verwegene Jazzfans aus Cork das erste Festival organisierten, ahnte keiner, dass ihre Veranstaltung einmal in einem Atemzug mit denen in Montreux und Newport genannt würde. Heute gibt es an vier Tagen nonstop Livejazz vom Feinsten, und die Großen der Szene waren alle da, von Ella Fitzgerald bis Oscar Peterson. In einer beeindruckenden Atmosphäre aus Offenheit und Herzlichkeit wird jeder Besucher sofort in den Jazzreigen integriert, die Corkonians weigern sich standhaft, die Veranstaltung zum elitären, intellektuellen Event werden zu lassen. Das gefällt vielleicht nicht jedem, aber es bringt die Musik dorthin, wo sie hingehört: mitten ins Leben.

Flüssiges dunkles Gold

Getränketechnisch hat man die Qual der Wahl, denn Beamish, Murphy's und Guinness wetteifern um die Krone der Pints. Die ersten beiden sind Cork-*brewed*, womit man sich beruhigt, denn Murphy's gehört inzwischen zur Heineken-Gruppe und Beamish zu Scottish & Newcastle. Aber alle Braumeister kommen aus Cork, versichern die Liebhaber der Cork-Biere. Und was trinkt der brave Corkonian am liebsten? Murphy's – das ist ein bisschen süßer – unter der Woche und Beamish am Wochenende, sagt Russel, und der muss es wissen, denn er arbeitet als Zapfer gleich in mehreren Pubs. Und die Marktanteile? Das ist ganz einfach: Die Hälfte in Cork trinkt Beamish, die andere Hälfte Murphy's, und der Rest der Corconians trinkt Guinness.

Das Fass im Lee

»Spieglein, Spieglein an der Wand, wer ist die Schönste im ganzen Land? Bin ich es, das hübsche Cork, mit seinem ruhig dahingleitenden Lee, gut, manchmal riecht er ein bisschen seltsam, aber wir arbeiten daran, wir sind eine saubere, moderne europäische Kulturhauptstadt. Am Ende können wir wieder in den Wassern des Lee unser Haupt baden und uns an seinen Stränden erholen. Wir bewahren und renovieren St. Finbarre, passen auf, dass der Engel immer glänzt und nicht grün anläuft, wir erhalten unser historisches Stadtviertel Shandon, und wir trinken mehr Beamish und Murphy's als Bier aus dem Norden. Wir pflegen unsere Brücken, die Uferpromenaden und lassen in Zukunft nur die Mönche im Fluss angeln. Es werden wieder Schwärme von Lachsen und Meerbarben an der Patrick's Bridge vorbei den Lee hinaufziehen. Aber wer zum Teufel hat das Fass in den Fluss geworfen? Sollen wir es rausholen, vielleicht ist noch was drin, so eine Verschwendung, vielleicht ist es aber auch leer, dann lass es weitertreiben nach ... oh Spieglein, Spieglein an der Wand, mir wird so plümerant, ich frag dich lieber ein anderes Mal, während des Jazzfestivals sollten keine Schönheitswettbewerbe veranstaltet werden. Ich komme wieder, Lugus der Feuergott verbrennt meine Seele, ich muss löschen und beten.« Und die Ballade von Father Theobald Matthew, der 1838 zum Präsidenten der Cork Total Abstinence Society gewählt wurde und dessen Denkmal in der Patrick Street nie mehr auf vorbeitreibende Fässer hinabschauen soll, beginnt wie folgt: »The smell from river Lee is flowery, oh Father Matthew forgive us«.

RUDERN VOM MEER IN DIE STADT

Corks Naturhafen ist historisch bedeutend: Von hier startete 1838 die erste Atlantiküberquerung mit einem Dampfschiff, und während der großen Hungersnot (1848–1850) verließen von hier aus zweieinhalb Millionen Iren ihre Heimat. Dieses reiche Erbe bewahrt die Organisation Meitheal Mara, die die Tradition des irischen Bootsbaus pflegt und mit sozialen Projekten Jugendlichen und Arbeitslosen eine neue Perspektive gibt. Die Teilnehmer lernen, wie man ein *curragh* baut, ein traditionelles Boot mit Holzgerippe, das mit Leinwand überzogen und geteert wird. Zudem helfen sie beim Ocean to City mit, einem großen Fest Ende Mai mit einer 22 Kilometer langen Ruderregatta, zu der aus aller Welt Kanus, Kajaks, Kanadier und natürlich *curraghs* kommen.

WEITERE INFORMATIONEN

Meitheal Mara, www.meithealmara.ie
Ocean to City, www.oceantocity.com
Websites: www.cork-guide.ie, www.blarneycastle.ie, www.cobhharbourchamber.ie

Im County Cork gibt es an der Küste zahlreiche Leuchttürme, die man besuchen kann. Wenn das Exemplar hier, Roche's Point, reden könnte, würde man seinen gesamten Urlaub wohl hier verbringen und ihm lauschen.

16 Endstation Sehnsucht – Cobh, Roche's Point

Abschied mit Tränen

Wer die traurige Geschichte der über zwei Millionen irischen Auswanderer aufspüren will, begibt sich am besten ins kleine Städtchen Cobh auf Great Island, dem vorgelagerten Hafen in der Bucht von Cork. Dies ist ein Ort, der mit vielen Tränen verbunden ist.

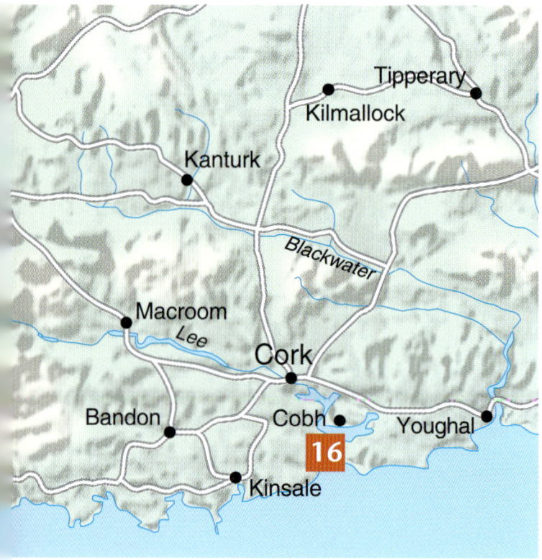

Das berühmteste Schiff, das hier jemals ankerte, war im April 1912 die Titanic, ihr letzter Halt, bevor sie am Eisberg zerschellte. In der unvermeidlichen Titanic Bar am Pier gibt es viele Erinnerungen an den »Hafen der Tränen«, denn von hier verließen während der Hungersnöte die Iren ihre Heimat. Das sehenswerte Heritage Centre im umgebauten alten Bahnhof von Cobh zeigt eine ergreifende Multimedia-Show zur Geschichte von Queenstown, wie Cobh bis zur Unabhängigkeit 1921 hieß. Das Denkmal von Anne Moore und ihren Brüdern am Hafen erzählt davon, wie sie am 20. Dezember 1891 auf der S.S. Nevada Irland verließen, um als erste akzeptierte Emigranten am 1. Januar 1892 das neue amerikanische Imigration Centre Ellis Island zu passieren. Auch wenn Cobh sich mit bunten Häuserzeilen herausgeputzt hat, eine stille Melancholie ist hier immer noch zu spüren. Etwas weiter südlich liegt Roche's Point, der Leuchtturm war das letzte Bild, das die Auswanderer von ihrer Heimat sahen.

Auf den Spuren der »Titanic«

Eine besondere Stadtführung bietet Michael Martin, Autor und Erfinder des Titanic Trail. Ganzjährig führt er vom Commodore Hotel aus zu allen wichtigen Plätzen und Gebäuden der Stadt, die mit der Geschichte der Titanic und mit Cobh als Auswandererhafen zu tun haben, darunter das Lusitania-Friedensmonument und das Titanic-Denkmal.

Info: The Titanic Trail, Tel. (087) 276 72 18, www.titanic.ie

17 Dichterhort – Blasket Islands

Literatur der Einsamkeit

Auf den kleinen, vom wogenden Meer umgebenen Inseln veranschaulicht ein Heritage Centre auf beeindruckende Weise das Leben, die Arbeit, die Kreativität und den ständigen Kampf der Bewohner mit der rauen Natur.

Die Spuren der Zeit sind über die Blasket-Inseln hinweggezogen, verlassene Häuser und das einstige Dorf auf Great Blasket verwandeln sich langsam in Ruinen.

Die Blasket-Inseln ragen als westlichster Punkt fünf Kilometer vor der Küste der Dingle Peninsula aus dem Meer. Die Inselgruppe war bis 1953 bewohnt, die ältesten Spuren menschlichen Lebens reichen gar bis in die Eisenzeit zurück. Auf Inishvickillane fand man Hinweise auf frühchristliche Siedlungen, noch heute kennt in Irland jedes Kind die Blasket Islands, denn im Literaturunterricht spielen Dichter und Werke wie Tomás O'Crohans *Islandmen (Die Boote fahren nicht mehr aus)* oder Michael O'Sullivans *Twenty Years of Growing* eine große Rolle. Vieles dient der Beschreibung einer archaischen Gaeltacht-Kultur. Great Blasket kann auch besucht werden – ein Trip in die Einsamkeit zu einer rauen, karstigen Felseninsel, die im Sommer von einigen Unentwegten wieder bewohnt wird.

Von Musikern, Fischern und Poeten

Man kann in dem in Dunquin errichteten Blasket Centre unter ästhetischen Gesichtspunkten einen architektonischen Sündenfall sehen oder avantgardistischen Mut zum Kontrast, der lang gezogene Komplex mit dem verglasten Eingangsbereich sticht jedenfalls ins Auge und zeigt auf die Inseln, die das Thema der Ausstellungsräume bilden. Letztere bergen zahlreiche Fotografien, Gegenstände des Alltags, Bücher und Exponate, wie man sie authentischer sonst in kaum einem Heritage Centre findet, zum Leben und dem Alltag der Bewohner der Blaskets. Auch die hier gezeigte Videoshow ist von beeindruckender Tiefe.

Info: The Blasket Centre, Dunquin, Tel. (066) 915 64 44, www.blasket.ie

Wildlife von Nordwesten bis Südosten

Das gesamte Irland hat eine erstaunliche Vielfalt an Naturschönheiten zu bieten, die sich nicht nur in den Besucherattraktionen, Herrenhäusern, Nationalparks und Naturschutzgebieten zeigt, sondern auch in den abgelegen Gegenden der Insel offenbart. In allen Regionen findet man faszinierende Naturerlebnisse.

Irland mit seiner Ausdehnung von rund 450 Kilometern von Nord nach Süd und 270 Kilometern in Ost-West-Richtung ist eine überschaubare Insel, ungefähr so groß wie Österreich. Allerdings weist sie auf ihren rund 84 400 Quadratkilometern immerhin 70 Naturschutzgebiete und sechs Nationalparks auf. Die fünf Nationalparks Glenveagh, Mayo, Connemara, der Burren und der Killarney National Park liegen alle im Westen Irlands, der Wicklow Mountains National Park an der Ostküste. Nordirland besitzt keinen Nationalpark, allerdings sechs Regionen von sogenannter »außerordentlicher Naturschönheit«. Ob die nordirischen Mourne Mountains in den Reigen der Nationalparks aufgenommen werden, ist noch nicht ausdiskutiert, verdient hätten sie es. Bis dahin bleiben die vor 60 Millionen Jahren entstandenen und bis zu 15 Meter hohen Basaltsäulen am Giant's Causeway das wohl größte Naturwunder Irlands.

Nationalpark Glenveagh

Das Auto stehen lassen und die faszinierende Natur von Bergen, Hochmooren, Seen und Wäldern genießen kann man auf dem Weg nach Donegal Town im Glenveagh National Park. Im Jahre 1975 vom Staat übernommen, vermachte wenig später Henry McIlhenny das Schloss Glenveagh samt Ländereien und Gärten der irischen Nation. Zur Jahrtausendwende wurde dort der seit 100 Jahren ausgestorbene Steinadler wieder neu angesiedelt. Das im schottischen Stil erbaute Schloss liegt inmitten

Die Bergkette der Twelve Bens in der Grafschaft Connemara (unten) ist für Wanderer ein Paradies. Die bis zu 730 Meter hohen Gipfel bieten eine wunderbare Panoramasicht.

einer der schönsten Garten- und Parkanlagen Irlands, ein extremer Kontrast zur sonst sehr rauen Umgebung. Denn als Wanderer kommt man sich oft vor, als gehe man über den Mond, so einsam, zerklüftet, archaisch erscheint das Land. Nur der Schrei einzelner Greifvögel durchbricht hier oben die Stille, jeglicher Zivilisationslärm wird verschluckt wie von einem schwarzen Loch. Hier im 100 Quadratkilometer großen Naturschutzgebiet findet man auch die letzte frei lebende Rotwildherde Irlands.

Fota Wildlife Park

In alten Zeiten feierten die Kelten das neue Jahr mit einem Samhain-Fest Ende Oktober, wenn die Nebel dichter und die Blätter durch die Luft gewirbelt werden. Eine magische Zeit, von der man glaubte, dass die Lebenden mit den Toten kommunizieren und in die andere Welt übertreten konnten. Heute kennt man es als Halloween, und in Irland steht das Fest am letzten *bank holiday* des Jahres noch immer ganz im Zeichen der Mystik. Ob im Herbst oder Frühjahr, Irlands Landschaften im Süden strahlen zu den Wechsel-Jahreszeiten eine einzigartige, melancholische Stimmung aus, die einen geheimnisvollen Reiz auf die Besucher ausübt. Der wird noch verstärkt, wenn man, gleich zu welcher Jahreszeit, durch den Fota Wildlife Park bei Cork spaziert, wie es jährlich immerhin 450 000 Gäste tun. Doch keine Sorge, überlaufen ist die 315 Hektar große Anlage auf einer Insel im Mündungstrichter des Lee keineswegs. Fota gilt als einer der modernsten Naturparks der Welt, sein Arboretum zählt zu den größten botanischen Gärten in Europa. Die Sammlung seltener Bäume aus Asien, Amerika und Australien wurde im 19. Jahrhundert von den Earls of Barrymore angelegt, die exotischen Exemplare haben sich durch das milde, feuchtwarme Klima zu voller Größe und Pracht entwickelt. Und in den weitläufigen Freigehegen werden 80 bedrohte Tierarten aus fünf Kontinenten gehalten, von der Giraffe über den Wallaby bis zu Lemuren, die hier ein neues Zuhause gefunden haben und oft frei umherwandern können. Schon seltsam, wenn hinter einem Mammutbaum im Nebel plötzlich ein Steinbock auftaucht und eine Schar Affen sich durch die Wipfel hangelt. Neben der Zucht und der Erhaltung bedrohter Tier- und Pflanzenarten wird auch eine besondere Aufmerksamkeit den Kindern geschenkt. In eigenen Sommercamps, Halloween- und Christmaspartys wird der jungen Computergeneration die erhaltenswerte Vielfalt unserer Umwelt in all ihren Facetten vermittelt.

Die zarten Glockenblumen von Ellis Wood in Connemara bei Letterfrack (oben) stehen im Kontrast zu den mächtigen, moosbewachsenen Baumriesen im Connemara-Nationalpark. Das einer Mondlandschaft ähnelnde Karstgebiet des Burren in Clare weist bizarre Felsen und Steinformationen auf (unten).

18 Blau und grün – West Cork

Tief im Süden und nah am Meer

Hinter Cork hört Irland noch lange nicht auf. Es geht ein ganzes Stück weiter in Richtung Südwesten. Auf einer pittoresken Küstenroute über Kinsale, Clonakilty und Skibbereen zum Leuchtturm von Mizen Head begegnet man der Irischen See, dem Atlantik und grünen Hügellandschaften, so weit das Auge reicht. Wer Abgeschiedenheit und eine frische Brise nicht scheut, fühlt sich hier in West Cork zu Hause.

Irland hat nicht gerade den Ruf, eine Hochburg für Gourmet-Touristen zu sein. Doch dieses Vorurteil ist längst überholt. Nicht nur in den größeren Städten findet man kreative Küche und charmante Restaurants, auch auf dem Land lassen sich immer mehr Köche und Restaurantchefs nieder, die aus den frischen lokalen Produkten zauberhafte Menüs zubereiten, die selbst erfahrene, internationale Feinschmeckergaumen überraschen. Irlands Küche hat heute weit mehr zu bieten als Fish and Chips und Irish Stew. Obwohl diese beiden traditionellen Mahlzeiten nicht nur den Einheimischen schmecken. Für einen guten Stew lässt man gerne manch anderes stehen.

Fisch vom Feinsten in Kinsale

Den besten Zugang zur irischen Kochkunst findet man in Kinsale. Das hübsch herausgeputzte Hafenstädtchen mit seinen verwinkelten Gassen, den schindel- und reetgedeckten Häusern und den zahlreichen traditionellen Pubs und Restaurants versprüht ein wenig das Flair eines mondänen Seebades, in dem sich die High Society versammelt, um zu sehen und gesehen zu werden. So treffen sich denn auch im Jachthafen die neuesten Cruiser aus aller Welt, internationales Publikum ist hier genauso zu Hause wie viele Künstler und Kunsthandwerker, die hoffen, hier ihr Glück zu finden.

Am Old Head of Kinsale scheint die Welt ihr Ende zu haben (unten). Auf der kleinen Halbinsel Sheep's Head trifft man kaum Urlauber, ursprüngliches Irland pur (rechts).

Livemusik spielt in den Pubs im Westen Corks eine große Rolle, spontane Sessions sind an der Tagesordnung (oben). Bunte Pub-Parade in Brandon (unten). Der Beacon auf den Klippen der Roaring Water Bay bei Baltimore ist das Wahrzeichen der Bucht (rechts oben). Hummer ist hier eine Delikatesse (rechts unten).

Die durchaus gelungene Mischung aus urigen Pubs, modernen Boutiquen, Galerien und Kunsthandwerksläden findet auch in der Restaurantszene ihre Fortsetzung: vom Gourmet-Tempel bis zum einfachen, aber feinen Fischlokal steht in Kinsale alles auf der Speisekarte. Im Oktober zelebrieren dann alle gemeinsam ein Gourmet-Festival, das es kulinarisch in sich hat. Dann erleben auch die Preise in Kinsale eher eine Flaute, in der Hochsaison muss man hier schon einige Scheine oder Kreditkarten mit sich führen.

Robinson und das Rosengespenst

Neben den Hochseejachten pflegen viele Segelschiffe die maritime Tradition des Ortes, die Anfang des 18. Jahrhunderts in Person des Seemannes Alexander Selkirk zumindest literarischen Weltruhm erlangte. Von hier aus brach er auf zu einer Expedition, die ihn auf einer einsamen Insel im Pazifik stranden ließ. Das diente dem Schriftsteller Daniel Defoe als Vorlage zu seinem Weltbestseller *Robinson Crusoe*.

Nur drei Kilometer östlich liegen die imposanten Überreste des Charles Fort, einer Befestigungsanlage gegen Angriffe von See, die auf das Jahr 1602 zurückgeht. Allein der herrliche Ausblick über die Bucht lohnt den Abstecher, zudem ist die sternförmige Anlage ein anschauliches Beispiel für eine der größten Verteidigungsbastionen des Landes. Doch Vorsicht: Nachts treibt das Rosengespenst auf den Wällen sein Unwesen. Die Tochter des Festungskommandanten stürzte mit ihrem Wunsch, eine Blüte des Rosenstrauchs zu Füßen des Walls zu bekommen, drei Männer in den Tod, darunter ihren Vater und ihren Verlobten.

Collins aus Clonakilty

Der bunte Marktflecken Clonakilty verdient einen weiteren Stopp auf der Tour entlang der Küstenstraße, wurde hier doch Irlands *Big Fella* Michael Collins geboren. Außerdem soll es in Clonakilty den besten *black pudding* der Insel in allen Variationen geben. Um die Wurst ging es auch 1921 in den anglo-irischen Verhandlungen, die Irland zum Freistaat machten und die Michael Collins anführte. Das jüngste von acht Kindern wurde zur Schlüsselfigur der irischen Nationalbewegung und revolutionierte die Kampfmethoden der Rebellen. Auf einer Reise durch den Westen Corks wurde er am 22. August 1922 aus einem Hinterhalt heraus bei Macroon ermordet. Noch heute feiern die Iren an diesem Tag zu seinen Ehren Gedenkgottesdienste.

Im August steht Clonakilty während des All Ireland Buskers Festival kopf, wenn Straßenmusiker, Gaukler und Künstler aus allen Ecken

der Insel die Straßen in eine große Bühne verwandeln. Von den Feierlichkeiten erholt man sich dann am nur vier Kilometer entfernten Inchydoney-Strand, mit seinem goldgelben Sand noch fast ein Geheimtipp für Irlandreisende.

Von Skibbereen nach Baltimore

Eine friedliche Küstenlandschaft zeichnet sich hinter Clonakilty ab auf dem Weg nach Skibbereen, dem Handelszentrum West Corks. Hinter Rosscarbery biegt man links von der Hauptstraße ab und erreicht so den Drombeg Stone Circle, einen Steinkreis von neun Metern Durchmesser auf einem Hügel, der von weiten Feldern umgeben ist, die sich bis zur Küste hinziehen. Die Formation aus 17 aufrecht stehenden Steinen wirkt durch ihre Kompaktheit sehr eindrucksvoll. Sie wurde irgendwann zwischen 600 und 150 vor Christus errichtet und diente den hier ansässigen Clans als Kultstätte. Das geschäftige Skibbereen, nicht nur bei den wöchentlichen Schafauktionen von Tier- und Touristenherden bevölkert, beherbergt ein sehenswertes Heritage Centre, das sich vor allem der tragischen Geschichte der großen Hungersnot widmet. Allein hier in der Gegend kamen dabei etwa 10 000 Einheimische um, ein düsteres Kapitel der irischen Geschichte, das noch heute betroffen macht. Da blüht in Baltimore schon eher das pralle Leben, obwohl das einstige versteckte Fischerdorf immer mehr zum Ferienort mutiert. Einst beherrschte der Clan der O'Driscolls die Gegend und das Meer, die Nachfahren der gefürchteten Piraten treffen sich jeden Juni in Baltimore. Im Mai locken das internationale Folkfestival Fiddle Fair, das Seafood- und das Wooden Boat Festival die Musik- und Foodfreaks nach Baltimore. Dann verwandelt sich der 400-Seelen-Ort in eine einzige Partymeile, vor der man nur auf der Burg Castle Dun na Sead über dem Hafen ein wenig Ruhe hat. Als Alternative bietet sich eine Bootstour auf eine der Inseln in der Roaring Water Bay an, man sollte allerdings günstiges Wetter abwarten, denn der Name ist Programm: An keinem anderen Platz an der Südküste ist das Meer wilder. In Heir Island, Sherkin Island und auf Clear Island hat der Massentourismus noch keine Chance. Das gilt auch für die ersten beiden der fünf Finger der Küstenlinie im Südwesten, auf den Halbinseln Mizen Head und Sheep's Head ist man beim Wandern beinahe unter sich. Hier wird die sanfte Hügel- und Heidelandschaft immer wieder von kleinen Mooren und Tümpeln unterbrochen, und in dem kleinen Fischerdorf Schull steht Irlands einziges Planetarium, in dem man vom Ende der Welt in die Weiten des Alls schauen kann.

MEERESFRÜCHTE VOM FEINSTEN

Fisch ist nicht gleich Fisch, doch spätestens im Fishy Fishy Café stellt man fest, was man aus den unterschiedlichen Meeresbewohnern kulinarisch hervorzaubern kann. Wie der Name sagt, dreht sich hier alles um die Tiere und ihre Zubereitung. Marie und Martin Shanahan verarbeiten nur von den örtlichen Fischern frisch aus dem Meer gezogene Fische in einem Terrassenrestaurant am Hafen, das – da sind sich die Gourmetpäpste einig – zu den besten Fischrestaurants in Irland gehört. Und das bei durchaus moderaten Preisen. Das Restaurant selbst ist geschmackvoll und dezent eingerichtet, nichts lenkt vom Wesentlichen ab: Schellfisch in Kinsale-Bier, Lachs über Eichenholz geräuchert, selbst der Fishy Fishy Pie ist ein Gedicht.

WEITERE INFORMATIONEN

Fáilte Ireland South West Region, Aras Fáilte, Grand Parade, Cork City, Tel. (021) 425 51 00, www.discoverireland.ie/corkcity

Fishy Fishy Café, Croweley's Quay, Kinsale, Tel. (021) 470 04 15, www.fishyfishy.ie

Websites: www.kinsale.ie, www.clonakilty.ie, www.skibbereen.ie, www.michaelcollinscentre.com, www.sherkinisland.eu

In Irland ist Geschichte allgegenwärtig. Der Steinkreis von Drombeg bei Glandore ist ein beeindruckendes Zeugnis der Megalithkultur. Die 17 Steine der Kultstätte bewachen das Grab eines jungen Mannes.

Der Charme des 18. Jahrhunderts begegnet dem Besucher im Bantry House auf Schritt und Tritt, im *Dining Room* wähnt man sich jenseits von Raum und Zeit (rechts unten). Von der Terrasse blickt man hinüber zur Beara-Halbinsel (rechts oben). Von den oberen Gärten aus genießt man eine schöne Aussicht über Bantry Bay (oben).

19 Herrschaftlich – Bantry House

Rotkehlchen mit Apfelkuchen

Die vom Golfstrom verwöhnte Natur hat im Südwesten Irlands Gärten und Parkanlagen geschaffen, die keinen Vergleich zu scheuen brauchen. Mit dem Auto von Cork aus erreicht man ein wunderbares Kleinod in zweistündiger Fahrt über Macroom oder Dunmanway: Bantry House and Gardens. Wer mehr Zeit hat, sollte die wildromantische Küstenstraße über Skibbereen nehmen.

Das hübsche 3000-Einwohner-Städtchen Bantry soll angeblich weiter entfernt von Dublin liegen als jede andere irische Stadt, auch so eine sagenumwobene Geschichte wie die von den 40 Sorten Grün, die es auf der Insel gibt. Schon die Lage an der fjordähnlichen Bantry Bay macht den Ort im Schutz der mächtigen Caha-Berge zu einer landschaftlich reizvollen Gegend.

Bilderbuchort vor sanfter Bucht

Was liegt also näher, als hier einen Herrschaftssitz zu bauen mit herrlichem Blick über die Bucht. Seit 1739 gehörte das Anwesen der White-Familie, insgesamt vier Earls of Bantry residierten hier. Richard White, der 2. Earl of Bantry, und seine Frau Mary gingen Mitte des 18. Jahrhunderts ans Werk, das Haus auszubauen und die formal gestalteten Gärten anzulegen. Da Mister White ein emsiger Weltreisender und begnadeter Sammler war, der für seine mitgebrachten Kunststücke viel Platz brauchte, fielen der Herrensitz und die Parkanlagen entsprechend großzügig aus. In seiner bunt durcheinandergewürfelten Sammlung befinden sich flämische Gobelins, altenglische Möbel, asiatisches Porzellan genauso wie griechische Mosaiken oder arabische Truhen aus Sansibar. Eine sehenswerte Sammlung großartiger Einzelstücke, die den Besuch in

Irlands erstem Herrensitz dieser Art – der für die Öffentlichkeit bereits 1945 zugänglich gemacht wurde – zu einem Gang durch die Weltkulturgeschichte macht. Lange Zeit, fast sechs Jahrzehnte hindurch, war der Besitz sich selbst überlassen worden, ehe das Anwesen mithilfe der Europäischen Gemeinschaft und den Great Gardens of Ireland, die Fördermittel zur Restaurierung bereitstellten, wieder zu neuem Glanz erweckt wurde.

Saxofonklänge am Teich

Man muss den Gartenarchitekten, Historikern und Forschern in lokalen Chroniken ein großes Kompliment machen, denn was hier an Restaurierungsarbeiten geleistet wurde, verdient höchstes Lob. Vom Obergeschoss aus und der Freitreppe zur Bantry Bay hin genießt man einen herrlichen Blick über die weitläufige Bucht, insgesamt sieben künstliche Terrassen, die zum Meer abfallen, und die hinter dem Haus angelegten Gärten gehören zu den schönsten Beispielen italienischer Gartenarchitektur in Irland. Eingerahmt von uralten Mischwäldern ringsherum mit verwilderten Pfaden, liegen im Schatten eines Goldregen- und Platanendaches ein kleiner Teich, ein Rosengarten und im Stil von italienischen Schlossgärten angelegte Blumenbeete. In den ehemaligen Stallgebäuden ist das 1796 French Armada Exhibition Centre untergebracht, eine Ausstellung zum gescheiterten Invasionsversuch der Franzosen. Den östlichen Bereich bewacht eine Diana-Statue, auf deren Haupt sich die Rotkehlchen niederlassen und sorglos vor sich hinträllern. Genauso wie der jetzige Besitzer Egerton Shelswell-White, ein passionierter Musiker, der das Haus im Jahr 1978 erwarb und es auch für Sommer-Kammerkonzerte, Hochzeiten und Übernachtungen geöffnet hält. Wer auf einer Bank am Teich die Ruhe genießt, wird gelegentlich von sanften Saxofon- und wehmütigen Posaunenklängen des Hausherren in eine andere Welt entführt. Gleiches gilt auch für die hausgemachten Kuchen und Gebäcke, die im kleinen Teehaus gekostet werden können. Es soll Besucher geben, die sich für das Rezept des Apfelkuchens als Gärtner in Bantry House bewerben wollten. Dank eines großen Wintergartens mit Veranda kann man hier auch an kühleren Tagen die letzten Sonnenstrahlen einfangen. Und selbst die im unvermeidlichen Souvenirshop angebotenen Accessoires haben in Bantry House charmanten Stil.

KAMMERMUSIK IN WEST CORK

Wer etwas für Streichquartett, Cello, Oboe und klassische Kammermusik übrig hat, der sollte einmal Ende Juni, Anfang Juli das West Cork Chamber Music Festival in Bantry besuchen, das während einer Woche im Bantry House, in der St. Brendan's Church und in der St. Finbarr's Church über die Bühne geht. Nicht nur bekannte Interpreten treten hier auf, das Festival hat sich auch einen Namen gemacht in der Nachwuchsförderung. So treten etwa das Irish National Youth Orchestra und der Irish Youth Choir auf, an den begleitenden Meisterkursen nehmen auch Musikstudenten aus aller Welt teil. Während des Festivals bleibt das Bantry House für die Öffentlichkeit geschlossen, die Gärten, Teezimmer und der Kunsthandwerksshop stehen aber natürlich weiter allen offen.

WEITERE INFORMATIONEN

Bantry House & Gardens, an der N 71, nur einen Kilometer südlich vom Zentrum des Ortes, Tel. (027) 500 47, www.bantryhouse.com

West Cork Chamber Music Festival, www.westcorkmusic.ie

20 Natur erleben – Beara-Halbinsel

Ursprünglich und exotisch

Die Halbinsel Beara bildet die Grenze zwischen Cork und Kerry. Malerische Dörfer, grüne Täler und karge Felskuppen machen die Gegend zu einem idealen Wandergebiet, das mit dem Beara Way einen 200 Kilometer langen Fernwanderweg ausweist. Er führt von Glengarriff über Castletownbere bis nach Kenmare in Kerry und zählt zu den schönsten in ganz Irland. Abenteurer fahren mit einer Seilbahn hinüber nach Dursey Island und gehen mit den Vögeln wandern.

Bunte Häuserfassaden als Farbtupfer im Alltag findet man auf der Beara-Halbinsel häufig (unten). Castletownbere mit seinem Fischerhafen ist das wichtigste Versorgungszentrum der Halbinsel (rechts oben). So sehen Irlandklischees aus: weiße Schafe, grüne Wiesen und das raue Meer (rechts unten).

Glengarriff ist das Tor zur Halbinsel, bevor man sich aber auf den Beara Way und in die Caha Mountains begibt, sollte man am Hafen eines der kleinen Boote besteigen und nach Garinish Island übersetzen, denn hier befindet sich einer der zauberhaftesten Gärten im ganzen Südwesten. Feuchtes Moos dampft über grauen Felsbrocken, die aus dunklen Gewässern ragen. Sonnenstrahlen durchbrechen die Wand aus Wasser und Nebel, Seehunde strecken ihren Kopf aus der Bantry Bay und blinzeln herüber zum Hafen von Glengarriff.

Im »Tal des Glücks«

Die Harbour Queen bringt ab März die ersten Gäste vom Festland nach Ilnacullin, zu einer Gartenanlage, die mit unaufdringlichem Charme und seltener Ästhetik die Gäste verzaubert. Die Erde duftet wie ein Kräutergemisch, riesige Farne werfen ihr Taukleid ab und strecken ihre Fächer in den wolkenbedeckten Himmel. Der geschützte Hafen von Glengarriff wird vom warmen Golfstrom tangiert, daher wachsen auf der Insel nicht nur imposante Bäume und Sträucher aus der ganzen Welt, auch der italie-

nische Garten, die griechische Tempelanlage, der Dschungel oder das »Tal des Glücks« mit seinem unvergleichlichen Rhododendren-Artenreichtum bieten auf 15 Hektar Flora und Landschaftsgartenarchitektur von beeindruckender Schönheit.
Ilnacullin hatte bis ins 18. Jahrhundert hinein keine historische Bedeutung, die älteste Sehenswürdigkeit der Insel ist der noch vollständig erhaltene Martello-Turm, den die Briten Anfang des 19. Jahrhunderts als Wehranlage gegen eine befürchtete napoleonische Invasion errichteten. Von seiner Spitze aus hat man einen herrlichen Blick über die zerklüftete Küstenlandschaft und kann sich gut vorstellen, welche Qualen der irische Freiheitskämpfer Wolfe Tone 1796 litt, als er mit Unterstützung der Franzosen und einigen Kriegsschiffen Bantry Bay erreichte, wegen heftiger Stürme aber nicht an Land gehen konnte. Damals war Ilnacullin nichts weiter als ein Stück öder Felsen mit Ginster und Heide auf einigen Torfflecken.

Exotische Pflanzenwelt im Schatten der Caha-Berge

Im Jahr 1910 kaufte Annan Bryce, ein Parlamentsabgeordneter aus Belfast, die Insel vom britischen Kriegsministerium. Der Naturliebhaber baute auf der Insel ein Haus und begann mit dem Landschaftsarchitekten Harold Peto, großzügige Gärten anzulegen. Vom Festland wurde Humus herübertransportiert, man sprengte Felsen und errichtete einen Windschirm aus Nadelbäumen. Peto war ein Verfechter des italienischen Gartenstils und überzeugt, dass sich dieser mit den damals vorherrschenden wilden Gärten kombinieren ließ. Auf Ilnacullin hat er ein Meisterwerk geschaffen, das orientalische und südländische Pflanzenwelt, dschungelartige Vegetation und dichte Waldareale harmonisch verbindet. Architektonische Details wie der Uhrenturm, der kleine Tempel, das Teehaus, Säulen aus Bath-Stein und Marmor aus Carrara, Connemara und von der Insel Skiros ergänzen ein Gesamtbild, das durch seine dezente Komposition überzeugt. Nichts Lautes, Übertriebenes stört das Spiel der Natur, die Hand des Menschen bleibt im Hintergrund. Das macht den Zauber von Ilnacullin aus.
Eine Zypressenallee führt hinauf zum griechischen Tempel, von dem aus man übers Meer und die Caha-Berge schaut. Diesen Panoramablick liebte schon George Bernard Shaw, der im Jahr 1923 als Gast der Familie Bryce auf Ilnacullin weilte und hier seine Tragödie *Die heilige Johanna* schrieb.

SCHAFE HABEN VORTRITT

Das nur sechs Kilometer lange und anderthalb Kilometer breite Dursey Island am Zipfel der Beara-Halbinsel erreicht man ausschließlich mit Irlands einziger Seilbahn, die in 30 Metern Höhe über dem Dursey Sound dahinschwebt. Man sollte schwindelfrei sein für die Überfahrt oder zumindest jene Gemütsruhe an den Tag legen wie die Schafe, die in der kleinen Kabinenbahn immer den Vortritt genießen. Die wenigen älteren Menschen, die auf dem kahlen Eiland noch leben, werden wohl die Letzten sein, nach ihnen gibt es hier dann nur noch Wildvögel, Schafe und gelegentlich ein paar wagemutige Reisende auf ihrem Weg ans Ende der Welt, die hier übernachten wollen. Die Fahrt mit der Seilbahn ist ein Erlebnis, das man nicht vergisst, und Rosarie O'Neill vermietet ein Cottage auf Dursey.

WEITERE INFORMATIONEN

Glengarriff, von März bis Oktober bringen kleine Boote Besucher in 15 Minuten nach Garinish Island, www.glengarriff.ie
Dursey Island, Rosarie O'Neill:
Tel. (027) 743 60, www.durseyisland.ie

Killarney ist ein lebhaftes Urlaubszentrum, doch an Seen wie dem Upper Lake geht es immer noch ruhig zu (oben). Wanderungen mit herrlichen Ausblicken führen rund um die Seen (rechts unten). Im Nationalparkzentrum am Muckross House kann man sich alle Informationen für Ausflüge und Wanderungen holen (rechts oben).

21 Ruhe vor dem Sturm – Killarney National Park

Mittendrin und doch allein

Das geschäftige Killarney verbirgt nicht seinen Zweck: Gäste einstimmen, ausführen, verführen und vorbereiten auf den Ring of Kerry und den Killarney National Park. Das macht man durchaus geschickt. So mischen sich ins bunte Stadtbild die Touristenbusse genauso wie die Pferdewagen, Onkel Paddy kutschiert Tante Rosmarie über die New Street, Touristen aus aller Welt suchen das ultimative Souvenir. Im Park aber kommen alle wieder zur Besinnung.

Bereits 1982 wurde der Killarney National Park zum Biosphärenreservat erklärt, und noch heute strahlt er trotz seiner Berühmtheit und der damit verbundenen touristischen Frequentierung eine unbestrittene Faszination und Anziehungskraft aus. Nicht zuletzt die drei Gletscherseen Lough Leane, Muckross Lake und der Upper Lake bieten Panoramaszenerien, wie sie nicht schöner sein könnten.

Mensch und Natur in Harmonie

Die ältesten Eichenwälder Irlands findet man hier, die einzige einheimische Rotwildherde zieht ihre Bahn, auf Wanderungen zum Dinis Island, zum Torc-Wasserfall oder zum Devil's Punch Bowl, einem einsamen Bergsee, der von steilen Felsen umgeben ist und den man umrunden kann und dabei atemberaubende Weitsichten über die Berge und Täler genießt, vergisst man Zeit und Raum. Natürlich ist man an Sehenswürdigkeiten wie dem Ross Castle, Muckross House and Gardens oder dem Gap of Dunloe nicht allein, doch selbst in der Hochsaison gelingt nach kurzer Zeit der Weg zurück in die Natur, weg von dem Gedränge an Kassenhäuschen und Kitschverkauf, der National Park mit seinen über 10 100 Hektar Ausdehnung bietet ausreichend und überall Gelegenheit dazu.

Feuer aus dem Wasser

Ein Ort besonderer Güte für romantische Seelen ist das direkt am Lough Leane im 15. Jahrhundert errichtete Ross Castle. Der helle Kalkstein der Burg hebt sich ab vom wuchernden Grün der naturbelassenen Uferlandschaft, im Hintergrund thront eine mächtige Bergkette, und um die zwei erhaltenen Türme der Ringmauer, die das Fort einst umgab, kreisen die Krähen. Dabei hatten die Besitzer mit Romantik wenig im Sinn: Das wehrhafte Ross Castle war die letzte Burg in Munster, die Cromwells Truppen einnahmen. Lange hatte man sich gewehrt, doch als eine alte Prophezeiung sich zu erfüllen schien, gaben auch die letzten Verteidiger ihren Widerstand auf. Die Legende besagte nämlich, dass Ross Castle mit Feuer aus dem Wasser zerstört würde. Als die Briten 1652 ihre Kanonen auf Boote luden und vom See aus angriffen – mit oder ohne Kenntnis der irischen Sagenwelt – wurde die Prophezeiung wahr. Zu sehen sind noch die Ruinen eines Oratoriums aus dem 12. Jahrhundert.

Das Buch des Mittelalters

Ein weiterer mystischer Ort befindet sich auf Inishfallen Island, der größten der insgesamt 26 Inseln im Nationalpark. Dorthin gelangt man entweder mit dem Wassertaxi von Ross Castle aus und zahlt die Passage, oder man setzt mit der eigenen Muskelkraft über, spart Geld und hat obendrein noch mehr Zeit, sich auf der Insel umzusehen.
Bereits im 7. Jahrhundert soll hier der heilige Finian ein Kloster gegründet haben, das im 13. Jahrhundert große Berühmtheit erlangte, als die Mönche die große *Chronik von Inishfallen* geschrieben haben, eines der bedeutendsten Zeugnisse des irischen Mittelalters und eine wichtige Informationsquelle zur Frühgeschichte von Munster. Das Originalmanuskript wird allerdings im englischen Oxford gehütet, und dorthin zu rudern wäre dann doch etwas zu weit …
Kaum einer verlässt die Seen, ohne sich die Gärten, die Parks und das Muckross House selbst anzusehen. Ein kleiner Spaziergang zur versteckt gelegenen Muckross Abbey ist eine willkommene Abwechslung zum Trubel rund um das Herrenhaus aus dem 19. Jahrhundert, dessen Innenräume nur im Rahmen einer geführten Besichtigung betreten werden dürfen. Durch die weitläufigen Gärten darf man hingegen auch allein schlendern.

NÄCHTIGEN WIE DIE KÖNIGIN

Muckross House wurde im Jahr 1843 von Henry Arthur Herbert erbaut, dem Parlamentsabgeordneten Kerrys. Die Herberts empfingen hochrangige Persönlichkeiten, darunter Königin Victoria von England. Der Unterhalt war zu kostspielig, 1899 wurde das Anwesen verkauft. Den Bankrott braucht John Courtney sicher nicht zu befürchten, denn er hat mit dem Victoria Hotel ganz in der Nähe von Muckross House ein Refugium geschaffen, das mit seinen viktorianisch bis modern gestalteten Zimmern und Suiten und ausgezeichnetem Service überzeugt. »Wir haben uns vor einiger Zeit gefragt«, erzählt John, »was wir an unserem Konzept verbessern können, und sind dabei auf einen entscheidenden Punkt gestoßen: Unsere Gäste wollen nicht nur schöne Natur und Pub-Atmosphäre erleben, sie wollen auch im Hotel freundlichem irischem Personal begegnen. Heute beschäftigen wir nur einheimische Kräfte, und das kommt bei unseren Gästen hervorragend an.«

WEITERE INFORMATIONEN

Killarney National Park Centre, direkt hinter Muckross House, www.killarneynationalpark.ie
Victoria House Hotel, Muckross Road, Killarney, Tel. (064) 663 54 30, www.victoriahousehotel.com

Über Hag's Glen auf der Iveragh-Halbinsel lässt sich der Carrauntoohill erreichen, Irlands höchster Berg mit knapp über 1000 Metern (oben). Auf der gesamten Halbinsel entdeckt man abgelegene Ringfestungen, die nur über schmale Wege zu erreichen sind (rechts).

22 Grandiose Ausblicke – Iveragh-Halbinsel

Typisch irisch – der Ring of Kerry

Den größten der fünf Finger bildet die Iveragh-Halbinsel, besser bekannt durch den Ring of Kerry. Diese Küstenstraße rund um die Halbinsel gehört zu den eindrucksvollsten Erlebnissen einer Irlandreise, wie sie schöner kaum sein können. Selbst Iren, die hier leben, stellen immer wieder ihr Fahrzeug am Straßenrand ab, steigen aus und bewundern das fantastische Küstenpanorama. Man kann die Rundfahrt in einem Tag absolvieren, aber das heißt Eile und nicht Genuss.

Oft wird Besuchern empfohlen, die Rundstrecke mit dem Auto im Uhrzeigersinn zu befahren, also von Kenmare über Waterville nach Killorglin, weil die Touristenbusse die Strecke in umgekehrter Richtung absolvieren und man ansonsten kilometerweit hinter solch einem Ungetüm hertuckern muss. Während der Saison ist das jedoch ziemlich gleichgültig. Ob mit dem oder gegen den Uhrzeigersinn – wenn einem an einer der zahlreichen und extrem engen Kurven ein Reisebus entgegenkommt, ist äußerste Vorsicht geboten. Dennoch gehört der Ring of Kerry zu den Perlen einer Irlandreise.

Ziegenkönig mit Trinkgelage

Nehmen wir also – der Münzwurf hat es so entschieden – die 180-Kilometer-Route gegen die Uhr, das macht auch Sinn, denn wir wollen ja reisen, erleben und schauen, nicht Attraktionen nur abhaken. Für manchen ist die Rundreise aber bereits in Killorglin zu Ende, bevor sie überhaupt richtig begonnen hat. Wer Mitte August den unscheinbaren Marktflecken am Eingang zur Nordküste der Iveragh-Halbinsel passieren will, bleibt meistens dort hängen, denn es ist Puck Fair. Der stille Ort am Fluss Laune wird zur Kulisse für wilde heidnische Zeremonien, Musikparaden, Trinkwettbewerbe

Auf die Schafzucht wird in Kerry bis heute nicht verzichtet, auch wenn viele Farmer und auch Städte mit dem Tourismus ihr Geld verdienen (oben und unten). Die einsamen Sandstrände der Derrynane-Bucht bei Caherdaniel sind die schönsten des Südwestens (rechts oben).

und einen parallel dazu stattfindenden Viehmarkt, der Killorglin aus allen Nähten platzen lässt. Das ganze Treiben wird überwacht von König Puck, dem stärksten Ziegenbock, den die Männer in den Macgillycuddy-Bergen auftreiben konnten. Unter großem Getöse wird er auf den Dorfplatz getrieben, um dort von einer »Jungfrau« mit einer Pappkrone zum König ernannt zu werden. Das bedauernswerte Tier muss sich dort auf der Bühne drei Tage lang das heidnische Treiben ansehen, bevor es wieder in die Freiheit entlassen wird. Die wüste Festivalversion wurde inzwischen etwas entschärft, denn das größte Volksfest des irischen Westens zieht immer mehr Urlauber und Familien an, da ist mehr Sittsamkeit vonnöten.

Der Rote Fuchs Jeremiah

Der nächste Stopp ist Glenbeigh, ein Dorf, das nicht nur einen wunderschönen Dünenstrand besitzt, sondern auch ein kleines Freilichtmuseum. Jeremiah hat sich das sicher so nicht träumen lassen. Denn das, was hier in schwerer Handarbeit, bei peitschendem Regen und brennender Sonne dem irischen Moorboden mühevoll abgerungen wurde, dieser irische Torf hat es zur Touristenattraktion geschafft. Einst war er dazu da, die kalten Winter zu überstehen und das sauer verdiente abendliche Glas Whiskey am wärmenden Feuer mit einer duftigen Torfnote zu veredeln. Heute taugt er darüber hinaus als Top-Souvenir, das in den Koffern der Touristen seine Reise um die Welt angetreten hat. *Why not?* Mancher Besucher ist sogar ganz hingerissen vom Torfhüpfen, nasse Füße inbegriffen. Denn auf den weichen, schwammigen Moorböden die Balance zu halten, ist gar nicht so einfach. Wer nasse Füße bekommen hat, wärmt sich im »Red Fox«, einem Pub-Restaurant, in dem es nicht nur den besten Irish Coffee der Gegend gibt. John und Olive Mulvihill haben nebenan auch das alte Torfstecherdorf wieder aufgebaut, in dem man das irische Landleben des 19. Jahrhunderts studieren kann. Jeremiah Mulvihill hatte sich damals, von Listowel kommend, hier niedergelassen und nach und nach ein kleines Dorf gegründet, das John als The Kerry Bog Village Museum wieder aufgebaut hat. Im Original, nach umfangreichen Forschungsarbeiten und mit großer Liebe zum Detail. So gibt es die Kate des Schmiedes Jack Bell O'Sullivan, die Stallwohnung von Phil Gillicuddy, die Häuser des Torfarbeiters Denny Riordan und des Rieddachdeckers Paddy Browne samt Hühnerstall zu sehen. Damit ist ein sehenswertes Stück irischer Geschichte lebendig geworden, die man so hautnah nur noch an der Westküste zu Gesicht bekommt.

Regionalgeschichte und Ringfestungen

Hinter King's Head erreicht man Caherciveen, den Hauptort an der Spitze der Halbinsel. Mitte des 19. Jahrhunderts wohnten hier noch an die 30 000 Iren, dann kamen die Hungersnot, die Auswanderung und später die Touristen. Einer der großen irischen Befreier, Daniel O'Connell, wurde hier geboren. Im Old Barracks Heritage Centre sind eine Ausstellung zum Leben O'Connells, zur Regionalgeschichte, der Great Southern & Western Railway, Nachbildungen einer Behausung während der großen Hungersnot und eine Kaserne aus der Zeit des Osteraufstandes von 1916 zu sehen. Von der Burgruine Ballycarbery Castle hat man einen wunderbaren Blick auf Caherciveen und die Valentia-Bucht. Ein Stück weiter entlang der Straße stehen die Überreste der Ringfestungen Cahergall und Lecanabuaile, errichtet im 9. und 10. Jahrhundert. Und ob nun Waterville oder Caherdaniel die schönsten Strände hat, das kann jeder für sich entscheiden. Eine Wanderung vom einen Ort zum anderen auf dem Kerry Way lohnt sich auf jeden Fall, denn die Strecke stellt keine besonderen Anforderungen und bietet wunderbare Aussichten.

Skulpturen in Sneem

Inzwischen hat man die Südküste der Halbinsel erreicht und begibt sich auf das abschließende Drittel der Ring-of-Kerry-Tour. Der kleine Ort Sneem ist gar nicht so unscheinbar, wie es auf den ersten Blick erscheint. Der Park am gleichnamigen Fluss, der sich in die Kenmare-Bucht schlängelt, eignet sich für einen Zwischenstopp. Charles de Gaulle soll das friedlich-verschlafene Nest Sneem besonders gemocht haben, ihm zu Ehren wurde eine Statue errichtet. Im Lauf der Zeit kamen weitere Skulpturen aus aller Welt hinzu, die im Skulpturenpark von Sneem bestaunt werden können. Kenmare ist im Vergleich dazu wesentlich touristischer ausgerichtet, hat ein breites Hotel- und Wassersportangebot vorzuweisen, ist trotz der Flaniermeilen im Zentrum und mehrerer Edelrestaurants dennoch ein charmanter Ort – nicht nur für Golfer und Segler – geblieben. In der Holy Cross Church, die im Jahr 1862 erbaut wurde, sind die prachtvolle Holzdecke mit filigran geschnitzten Engeln und ein mit Mosaiken bestücktes Buntglasfenster über dem Altar Schmeicheleinheiten für Auge und Gemüt, bevor man sich wieder nach Killarney auf den Weg macht und sich dort der Kreis des Ring of Kerry schließt.

GARTENPRACHT AUF VALENTIA

Ein historisches Manor House an der nordwestlichsten Spitze der Iveragh-Halbinsel auf Valentia Island. Ein paradiesisch anmutender Park und Garten, der verwildert und doch kultiviert erscheint. Glanleam House & Gardens ist wohltuend anders als das geschäftige Muckross House bei Killarney. Subtropische Pflanzen aus Ozeanien, Südamerika und China, Bambushaine, Eukalypten, Fuchsien und Rhododendren verwöhnen das gärtnerische Auge, über allem liegt der Duft von Lilien und Ginster. Mächtige Myrtenbäume und die höchsten Baumfarne in Europa bilden schützende Dächer über den Wegen.

WEITERE INFORMATIONEN

Ring of Kerry Tourism, Riverside House, Glenflesk, Killarney, Tel. (076) 603 23 98, www.ringofkerrytourism.com

Valentia Island, Meta und Jessica Kreissig bieten Gästezimmer im Herrenhaus und vermieten Ferienhäuser auf dem Anwesen, Tel. (066) 947 61 76, www.hiddenireland.com/glanleam

23 Welterbe-Juwel – Skellig Islands

Jenseits von Raum und Zeit

Sieben Seemeilen oder 13 Kilometer vor der Valentia-Küste der Iveragh-Halbinsel in Kerry liegen zwei Felseninseln, deren Magie sich keiner entziehen kann. Skellig Michael gehört zum UNESCO-Welterbe, Little Skellig ist ein Vogelschutzgebiet und die zweitgrößte Brutkolonie der Welt. Orte jenseits von Raum und Zeit, von denen jeder Besucher verändert zurückkehrt.

Die kleine Insel Little Skellig ist Heimat vieler Seevögel, darunter Papageitaucher (rechts oben). Wer den Felsstufen der Mönche folgt und die Steinbehausungen auf der Spitze erreicht, spürt jene Magie, von der Shaw sprach (unten). Eoin und Aidan Walsh auf ihrem Passagierboot zu den Skellig Islands (rechts unten).

Es gibt Menschen, die haben eine Menge übrig für Pilgerreisen. Dann gibt es Zeitgenossen, die dieser Art innerer Einkehr auf schmalen Wanderpfaden wenig abgewinnen können. Und es gibt da noch jene, die schon beim Anblick eines kleinen Wassertümpels die ersten Anzeichen einer Seekrankheit an sich feststellen. Allen sei gesagt: Wenn ihr nach Portmagee kommt, seid frohen Mutes, denn schließlich ist auch unser Herr Jesus Christus über das Wasser gegangen. Darüber hinaus ist die 45 Minuten lange Überfahrt eben nur eine Halbzeit, und nimmt man den Aufstieg über die 650 jahrhundertealten Felsstufen hinauf zur frühchristlichen Mönchssiedlung auf Skellig Michael als Pausenkabinenpredigt, gerät die Rückreise zum Festland zur reinsten Vergnügungsfahrt. Denn eines ist sicher: Keiner, der je den Fuß auf Skellig Michael gesetzt hat, kommt unverändert zurück. Verlängerung und Wiederholungsspiel sind da so gut wie sicher.

Inselpyramide des Erzengels

Wie eine Pyramide ragt Skellig Michael aus dem Meer heraus. Dort soll man an Land gehen können? Nicht nur das Geschaukel auf der manchmal stürmischen Überfahrt mit den offenen Fischerbooten von Portmagee oder

Ballinskelligs aus lässt manchen Besucher zweifeln. Etwas Seegang ist in der St. Finan's Bay aber normal, kein Grund zur Panik. Die Skipper sind erfahrene Seeleute, keiner riskiert mehr als ihm die Vernunft gebietet. Angelegt wird dann tatsächlich, in der Blind Man's Cove. Und ab jetzt ist man auf sich allein gestellt, wenn man nicht gerade einen Gruppenausflug gebucht hat. Schwindelfrei sollte man sein, wenn man die steilen, in den Fels gehauenen Stufen hinaufklettert zu den Bienenkorbbehausungen der Mönche, die sich hier wahrscheinlich schon im 6. Jahrhundert niederließen. Ab dem 8. Jahrhundert findet man das Kloster auf Skellig Michael in den Annalen, lebten hier Mönche in völliger Einsamkeit unter kaum vorstellbaren Entbehrungen, 150 Meter über dem Meer zwischen Himmel und den tosenden Stürmen des Atlantiks. Mehrmals wurden sie von Wikingern überfallen und um ihre kargen Vorräte gebracht, Mönche wurden verschleppt und getötet. Im 13. Jahrhundert wurde die Insel dann verlassen, erlebte aber nach der Einführung des gregorianischen Kalenders 1582 eine neue Blüte. Da man damals während der Fastenzeit nicht heiraten durfte, auf Skellig Michael aber noch der julianische Kalender galt, nahmen viele Hochzeitspaare den Weg auf sich, weil man hier heiraten konnte, ohne bis Ostern warten zu müssen. Der Blick von den sehr gut erhaltenen Steinhütten über das Meer, fern von all der Alltagshektik, das Kreischen der Seevögel und das Tosen des Windes schenken dem Besucher noch heute eine Entrücktheit, die lange in ihm nachklingt.

Brutplatz der Tölpel

Auf der Rückfahrt drehen die Boote dann eine Ehrenrunde um Little Skellig, die kleinere der Felseninseln im Meer, die umso weißer wird, je näher man ihr kommt. Über 30 000 Möwen, Basstölpel und Sturmtaucher bevölkern den Felsen, der von Meereshöhe bis zur Spitze mit Guano bedeckt ist und bei Windstille auch aus der Distanz einen beißenden Geruch verbreitet. Betreten darf man diese Vogelschutzinsel nicht, danach sehnt man sich aber auch nicht, denn man möchte zurück auf das Festland, sich in ein Café am Hafen setzen und das Meer betrachten, von dem man sich gar nicht mehr trennen will.

BELOHNUNG ODER VERFÜHRUNG

Das asketische Leben der Mönche auf Skellig Michael lässt manchen über Konsumverhalten und Globalisierung nachdenken, doch irgendwann kommt die Erkenntnis, dass wir im 21. Jahrhundert nach Christus und nicht im 6. leben. Auch wenn an der Spitze der Iveragh-Halbinsel die archaische Landschaft zu mehr Ruhe und Gelassenheit mahnt, selbst hier gibt es Gelegenheit für weltliche Genüsse kulinarischer Art, von denen man sich verführen lassen kann. Die Rede ist von einer kleinen Chocolaterie, die in Ballinskelligs zu Hause ist und die in Handarbeit wunderbare Pralinen und köstliche Schokoladen herstellt. Inhaber Colm Healy ist der westlichste Schokoladenhersteller in Europa, aber dieses Prädikat hat er eigentlich gar nicht nötig: Seine Pralinen sind von himmlischer Qualität – wie sollte es im Schatten von Skellig Michael auch anders sein?

WEITERE INFORMATIONEN

Skelligs, die Multimedia-Show The Skellig Experience im neuen Museum an der Brücke von Portmagee nach Valentia Island informiert umfassend, www.skellig experience.com, www.skelligtours.com

Skellig Chocolate Company, The Glen, St. Finan's Bay, Ballinskelligs, Tel. (066) 9479119, www.skelligschocolate.com

Dingle Town ist das geschäftige Ferienzentrum der Halbinsel, hat sich aber seinen kleinstädtischen Charme bewahrt (oben). Am Clogher Head kommen besonders zu Sonnenuntergang Romantiker auf ihre Kosten (rechts).

24 Suchtfaktor – Dingle Town und Peninsula

Im Land von Finn und Fungie

Der nördlichste der fünf Finger, die Dingle-Halbinsel, weist mehr faszinierende Küsten- und Gebirgslandschaften, typische Dörfer und archäologische Stätten auf als andere Regionen Irlands. Die Dingle Peninsula ist zum Synonym für Irland pur geworden und Kerrys ganzer Stolz. Jeder, der einmal hier war, kommt wieder, garantiert. Selbst Delfine wollen nicht mehr weg.

Eine Rundreise über die Dingle-Halbinsel beginnt in Castlemaine, der Burg des Maine-Flusses, die südlich von Tralee liegt. Über Inch und Annascaul geht es weiter nach Dingle Town. Schon auf dieser Strecke zieht einen die unaufdringliche Schönheit der Landschaft in ihren Bann. Sanfte grüne Hügel wechseln sich ab mit weißen Sandstränden, die in der Sonne goldfarben glänzen. Im Kontrast dazu erscheinen rote Klippen und graubraune Bergkuppen wie Wächter einer anderen Welt. Nicht umsonst erzählt man sich, dass in mystischer Vorzeit König Darie Donn auf der Dingle-Halbinsel landete, um Irland in Besitz zu nehmen. Doch der König hatte die Rechnung ohne die Dingle-Riesen gemacht. Finn MacCool und seine Kumpanen trieben Darie Donn zurück ins Meer. Die großartigen Landschaften sind erhalten geblieben, aber Riesen trifft man am Mount Eagle, dem Connor Pass und am Mount Brandon leider keine mehr.

Fungie in Dingle

Kein neuer Tanz, kein Pilzgericht und auch keine neue Automarke: Fungie ist ein Delfin und der Star von Dingle Town. Im Ferienzentrum der Halbinsel, das im Sommer um ein Vielfaches seiner 1800 Einwohner anwächst, spielt sich das Leben zwar meistens in den 57 Pubs ab, oder waren es doch 58? Aber

Die Küste der Dingle-Halbinsel bei Ballydavid (rechts) bietet ursprüngliche Landschaften, in den Dörfern kann man noch traditionelles Kunsthandwerk erleben (unten).

wenn Fungie in der Bucht auftaucht, rennt alles zum Hafen, um den Delfin zu begrüßen, der hier sein Zuhause gefunden hat. Erstmals tauchte er mit seiner Delfin-Mutter 1983 aus den Fluten in der Dingle Bay auf, auch nach dem Tod seiner Mutter blieb Fungie hier am Eingang zur Hafenbucht, aus freiem Willen, wie man überall betont. Kein Experte und Wissenschaftler kann bisher schlüssig erklären, warum das so ist. Vielleicht liegt es ja am Denkmal, das die Gemeinde ihm zu Ehren am Hafen errichtet hat. Selbst wenn er ab und zu zu einem Kurztrip mit seinen vorbeiziehenden Artgenossen aufbricht und sich ein paar Tage lang nicht blicken lässt, zurückgekommen ist er noch immer. So wurde er natürlich im Laufe der Zeit vereinnahmt: Bootsausflüge zu und Schwimmen mit Fungie, T-Shirt mit Fungie, Fotos von Fungie, Fungie über alles. Und ein Besuch in der Dingle Oceanworld gerät zur geeigneten Ergänzung, denn die Aquarien und maritimen Biotope sind so artgerecht, vielfältig und kompetent zusammengestellt wie sonst in kaum einer Unterwasser-Erlebniswelt an Land.

Dunquin und Ballyferriter

Weiter geht es entlang der Küstenstraße auf dem Slea Head Drive Richtung Dunquin, von dort starten die Boote zu den Blasket Islands, die man einfach gesehen haben muss. Doch zuvor sieht man sich hinter Ventry das Dunbeg Fort an, ein Ringfort aus dem 6. Jahrhundert mit vier äußeren Steinwällen und so dicht an die Klippen gebaut, dass bei der Besichtigung Vorsicht geboten ist. Ein unterirdischer Fluchttunnel und eine Steinhütte im Zentrum des Forts sind noch erhalten. Welcher Kelten-Clan aber die Anlage errichtete, das verschwindet im Nebel der Geschichte. Umso klarer ist der Blick von Slea Head über die Dingle Bay, auf Mount Eagle und die fantastischen Strände am Westzipfel der Halbinsel wie etwa den Coumeenoole-Strand. Zudem ist die Gegend regelrecht übersät mit steinernen Bienenstockhütten, den *clocháns,* die den apulischen *trulli* so ähnlich sind. Ballyferriter ist ein Ort für jene, denen Dingle zu lebhaft und der Trubel rund um Fungie zu anstrengend geworden ist. Auch hier gibt es verträumte Sandstrände, alte Klostersiedlungen und Gelegenheiten zu Wanderungen zu frühchristlichen Monumenten wie der Gallaruskapelle, die die Jahrhunderte überdauert hat und aussieht wie ein umgedrehtes Boot.

Cloghane und Brandon

Auch an der Brandon Bay kann man an endlos erscheinenden Stränden spazieren gehen, das kleine Dorf Cloghane erscheint wie ein letztes

Refugium abseits der sich immer schneller drehenden Welt und rühmt sich, den längsten Sandstrand der ganzen Insel zu besitzen. Jedes Jahr im Juli wird im Dorf und auf der Spitze des Mount Brandon das keltische Erntefest Lughnasa gefeiert, im August kommen die traditionellen *Curragh*-Kanus während der Brandon-Regatta zu Ehren. In der Bucht von Brandon Creek soll der heilige Brendan im 6. Jahrhundert in einem mit Tierhäuten bespannten Boot seine Seereise begonnen haben, die ihn bis nach Amerika führte.

Auf den Mount Brandon

Dass diese fantastische Reise durchaus möglich war, wurde im Jahr 1976 bewiesen, als eine Mannschaft furchtloser Seeleute von Brandon Creek aus mit einem exakt nachgebauten Boot in See stach und ein Jahr später das kanadische Neufundland erreichte.
Auf den Pilgerpfad zum 950 Meter hohen Berg Mount Brandon begeben sich noch heute zahlreiche Menschen, triumphierte hier doch der keltische Sonnengott Lug über den Gott der Unterwelt, Crom Dubh. Die Mystik des Ortes ist bis heute zu spüren, bei Nebel und schlechtem Wetter ist ein Aufstieg ohne Kompass und wetterfeste Kleidung allerdings nicht zu empfehlen.

Die Rose von Tralee

Über Castlegregory und den Rough Point am Ende der Landzunge zwischen Brandon und Tralee Bay, an dem häufig Orkas, Grindwale und Delfine vorbeiziehen, geht es zum Endpunkt der Halbinsel-Rundfahrt, nach Tralee. Die Kleinstadt hat den Ruf eines nüchternen Provinzstädtchens, ein wenig zu Unrecht, denn langweilig sind die 23 000-Einwohner-Stadt und ihre lebendige Pub-Szene sicher nicht. Und das nicht nur im August, wenn beim traditionellen Festival Rose of Tralee eine der hübschesten Irinnen zur Schönheitskönigin gekürt wird. Sehenswert sind auch das Kerry County Museum mit aussagekräftigen Ausstellungen zur Geschichte und Entwicklung in Kerry, der großzügige Stadtpark im Herzen der Stadt, der natürlich passend zum Festival einen großen Rosengarten vorzeigen kann, und die Blennerville Windmill. Irlands größte noch in Betrieb befindliche Windmühle zeigt auch die Geheimnisse des *homemade* Sodabrot.
Die Dingle-Halbinsel wird sicher eine gälisch geprägte Region der Traditionen, der Sprache und der maßvollen Entwicklung bleiben, dafür wird Fungie schon sorgen. Da ändert auch der alljährliche Trubel um die schönsten Rosen von Tralee nichts.

ANNASCAUL UND DAS EIS

Annascaul punktet mit einer Legende: einem Pub, das von keinem Geringeren als Tom Crean gegründet wurde. Es gibt viele wagemutige Iren, doch Tom steht ganz oben auf der Liste. 1877 in der Nähe von Annascaul geboren, ging er mit 15 Jahren zur Marine und nahm an drei britischen Antarktis-Expeditionen teil: Sowohl Robert Falcon Scott als auch Ernest Shackelton schätzten den Mut, die Weitsicht und die mentale Kraft des bescheidenen Mannes aus Kerry. Nach dem Ersten Weltkrieg setzte sich Tom Crean zur Ruhe und eröffnete das Pub. Im South Pole Inn hört man noch heute: »Hail, hail, Tom Crean, hail, hail, Tom Crean. He's the bravest man that the world's ever seen.«

WEITERE INFORMATIONEN

Dingle Tourist Office, Strand Street, Dingle, Tel. (066) 915 24 48, www.dingle-peninsula.ie
South Pole Inn, Main Street, Annascaul, Tel. (066) 915 73 88, www.annascaul.ie

Westen und Nordwesten

Wilde Küsten im Wind

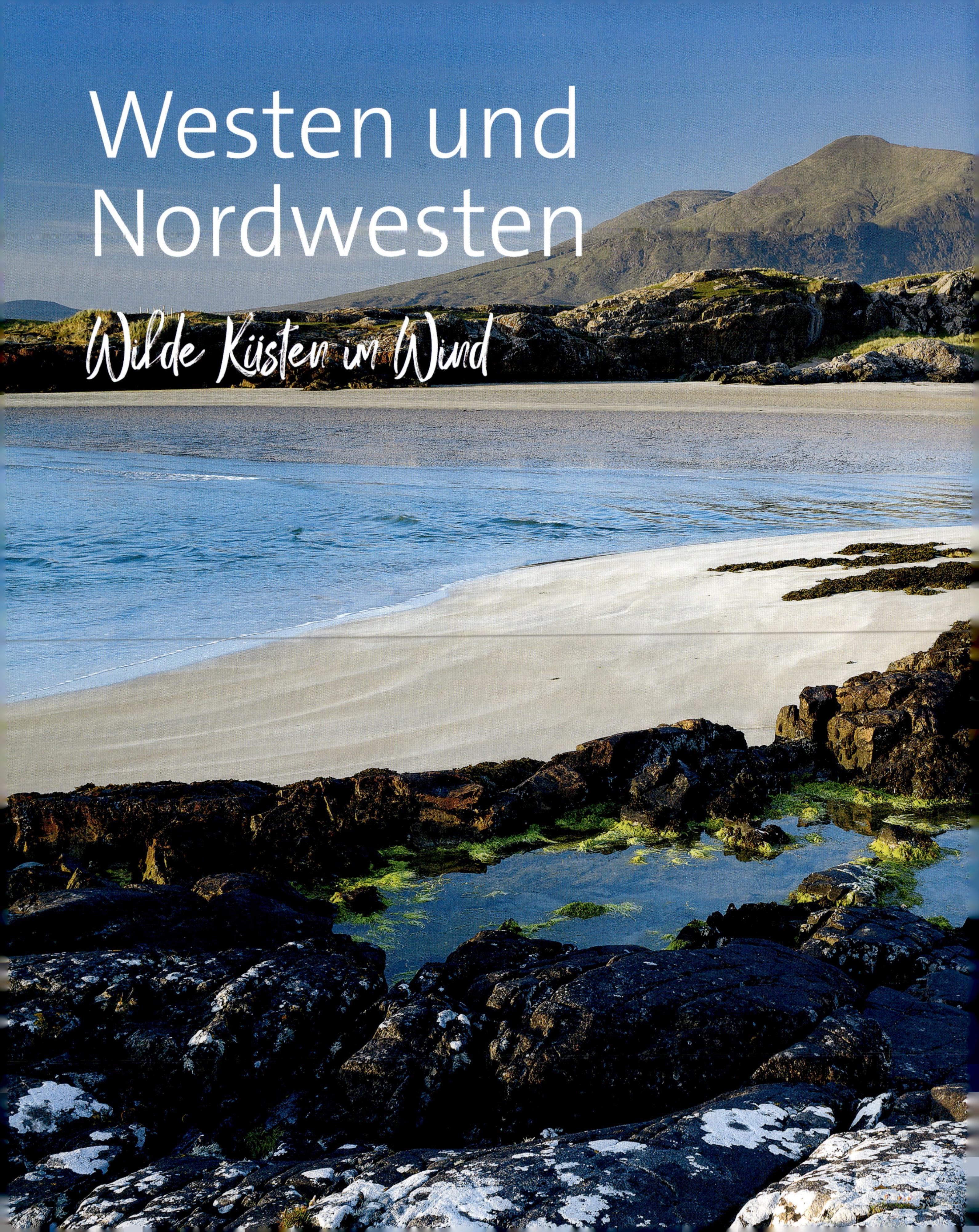

An den wunderschönen Strand- und Küstenabschnitten der Renvyle-Halbinsel begegnet man keiner Menschenseele (links). Die Clew Bay wartet mit zahlreichen Inseln auf (oben). Natürlich gibt es auch in Connemara ehemalige Manor Houses, hier bei Clifden.

Diese Landschaft raubt einem die Sprache, man steht da und staunt nur noch: Keem Bay kann es mit jedem Traumstrand der Welt aufnehmen.

Route vom Westen in den Nordwesten

Traumküsten und mystische Orte

Wer den Westen Irlands erwähnt, gerät dabei schnell ins Schwärmen. Denn unweigerlich bahnt sich ein wahrer Strom an Bildern und Gefühlen den Weg, oft so stark, dass aus den Landschaftsschilderungen eine große Sehnsucht wird nach dem »Wild Atlantic Way« und den Weiten des Nordwestens.

Toureninfo

Start: Limerick
Ziel: Sligo
Länge: 550 Kilometer
Dauer: 12–14 Tage
Beste Reisezeit: März bis Oktober, August meiden.
Sehenswertes: Bootsausflug zu den Aran-Inseln.
Unterkunft: Auf Inishmore bietet das Pier House gemütliche Zimmer, eine schöne Terrasse mit Meerblick und vernünftige Preise.
www.pierhousearan.com

Weitere Infos

Der Verkehr in und rund um Limerick und Galway kann zu den Berufszeiten zu Staus führen. Davon sollte man sich aber nicht abhalten lassen, denn die beiden Städte sind äußerst sehenswert, lebendig und bieten eine ansprechende Mischung aus Tradition und Moderne. Man sollte eine Parkplatz am Stadtrand suchen und mit öffentlichen Bussen ins Zentrum fahren.

Wer bei dem Wort Limerick sofort an ein fünfzeiliges Scherzgedicht denkt, das dem Reimschema »aabba« folgt und das seit dem frühen 19. Jahrhundert durch die Literaturgeschichte geistert, wird dem Abwechslungsreichtum der irischen Stadt **Limerick** an der Westküste der Insel sicher nicht gerecht. Zumal auch keineswegs gesichert ist, dass die Limericks aus Limerick stammen. Sie könnten außerdem noch viel älter sein, wie die *Nursery Rhymes* aus der Mitte des 18. Jahrhunderts nahelegen. Ob nun 17. oder 18. Jahrhundert, ob Kinderreim oder wundersame Pointe, für die heutige Stadt Limerick spielt das keine Rolle, denn sie ist es auf jeden Fall wert, Ausgangs- oder Endpunkt einer Reise entlang der Westküste Irlands zu sein, wie sie schöner kaum zu finden ist. In weiten Teilen begibt man sich dann auf den »Wild Atlantic Way«, der in diesem Teil so faszinierend wie wildromantisch daherkommt. Die Strecke beträgt rund 550 Kilometer, da man aber hierhergekommen ist, um die Landschaft, die Natur und die Städte intensiv zu erleben, sollte man sich auch zwei Wochen Zeit für diese Route nehmen. Sie führt von Limerick über die fantastischen 25 **Cliffs of Moher**, das wilde 26 **Burren**-Gebiet nach 28 **Galway City**, weiter über 30 **Maam Cross**, 31 **Killary Harbour** und den heiligen Berg 33 **Croagh Patrick** nach 35 **Westport**, zur 37 **Belmullet Halbinsel** und in den Norden bis 38 **Sligo Town**.

Limericks versteckte Gärten

Wer also nach Limerick reist, sollte sich einen Ausflug in drei individuelle und verzaubernde Gartenreiche nicht entgehen lassen. Sie liegen auf einer Strecke von 20 Kilometern dicht beieinander an der Überlandstraße R512 und könnten unterschiedlicher nicht sein. Allen gemeinsam ist eine geheimnisvolle Geschichte, die nur die Gärtner selbst lüften wollen. Der erste Garten, Cahernorry Church & Gardens, wirkt auf den ersten Blick düster und entrückt, ist aber ganz real um eine Kirche von 1809 angelegt. Der zweite, Coolwater Garden, ist ein schillernder Wassergarten mit einer beeindruckenden Trockenzone, und der dritte, Terra Nova Garden, hat bereits die Auszeichnung »Bester Garten in Irland« gewonnen und versprüht eine märchenhafte Farbenpracht. Alle drei »Secret Gardens of Limerick« kann man leicht in einer Tagestour besichtigen.

Paradiesische Keem Bay

Wer genügend Zeit eingeplant hat, kann, noch bevor er die Belmullet Halbinsel erreicht und die Tour in Sligo abschließt, einen Abstecher zur Keem Bay auf Achill Island unternehmen. Und wem es atemberaubende Landschaften besonders angetan haben, dem wird das aquamarinblaue Wasser in der Grafschaft Mayo das Herz zum Beben bringen.
Die malerische Küste von *Achill Island* birgt einen besonderen Schatz: die entlegene Keem Bay vor der Kulisse imposanter Klippen, die einen überwältigenden Blick auf die Bucht darunter eröffnen. Das kleine Paradies, eine abgeschiedenen Bucht an der westlichsten Spitze der Insel, erreicht man über eine Küstenstraße, die mit spektakulären Aussichten aufwartet. Und das Praktische: Man kann auf dem Parkplatz in unmittelbarer Strandnähe parken. Die hufeisenförmige Bucht wird von gewaltigen Klippen umrahmt und bietet einen Wanderweg, der 1,5 Kilometer auf den Klippen von Benmore zur westlichsten Spitze der Insel, zum Achill Head führt.

Portacloy
Minnaun
Broad Haven
Mullet
Ross Port
Belderg
Rathlackan
Lenadoon Point
Easky
Carrownabinna Point
Drumcliff
N16
Corclogh
Knocknalina
Ballyglass Megalithic Tomb
Ballycastle
Killala Bay
Rathlee
Dromore West
Sligo Bay
38
Manorhamilton
Belmullet
37
Barnatra
Glenamoy
Carrowmore
Enniscrone
Split Rock
Sligo
Dromahair
Inishglora
An Geata Mór
Bunnahowen
Carrowmore Lake
Kilcon
Killala
Moyne Abbey
Owenbeg
Beltra
N4
Lough Gill
Ballysadare
Elly Bay
Garranard
N59
Corballty
Easky Lough
Coolaney
Collooney
Inishkea North
Ardelly Point
Bangor
Bellacorick
Ballina
Drumfin
Aghleam
Gweesalia
Tullaghan Bay
Dooleeg
Bunnyconnellan
Ballynacarrow
Inishkea South
Blacksod
Carrowkilleen
39
Crossmolina
Newtown Cloghans
Cloonacool
Lavagh
N17
Sligo Folk Park
Duvillaun More
Blacksod Bay
Doohooma
Sranamanragh Br.
Lough Conn
Tobercurry
Achonry
Ballymote
Lough Arrow
Ridge Point
Ballycroy
Keenagh
Aclare
Killavil
Doogort
Castlehill
Ballycroy National Park
Lahardaun
Knockmore
Banada
Kesh
Lough Key
Bunacurry
Sruhill Lough
Foxford
Cloonfinish
Curry
N4
Keem
Keel
Pontoon
N26
Mullaghroe
Boyle Abbey
Achill Island
Achill Sound
Lough Feeagh
Cloondaff
Beltra
N58
Swinford
N5
Charlestown
Lough Gara
Boyle
Portnahally or Ashleam Bay
Mulranny
Furnace Lough
Beltra Lough
Ross West
Straide
Knock Airport
Lurga
King House
Ballaghaderreen
Carrick Kildavnet Castle
National Museum of Country Life
Bohola
Tibohine
Cloghmore
Newport Bay
Rockfleet Castle
Newport
Bellavary
Kilkelly
N83
Kilmovee
Achillbeg Island
Clew Bay
Castlebar
N17
Moyne
N61
Ballytoohy
35
Manulla
Kiltamagh
Urlaur Lough
Frenchpark
Clare Island
Westport
Athavallie
Loughglinn
Brackloon
N5
Elphin
Ballyhean
N60
Knock
Roonagh Quai
33
762
Ballintober Abbey
Mayo
Barnycarroll
Ballyhaunis
Castlerea
Tulsk
Caher Island
Louisburgh
Croagh Patrick
Killavally
Ballintober
Ballyglass
Brickeens
N60
Ballinlough
Inishturk
Cregganbaun
Carrow-kennedy
Partry
Claremorris
N80
N83
Garranlahan
N60
Four Mile Ho
Barnabaun Point
Srah
Crossboyne
Ballindine
Cloonfad
Doo Lough
Tourmakeady
Lough Carra
N84
Hollymount
Ballymoe
Inishbofin
Bofin
Davillaun
Tully Cross
Killary Harbour
Delphi
N59
Lough Mask
Ballinrobe
Cloghans Hill
Kilvine
De Birmingham Castle
N60
N81
Inishlyon
Inishark
Renvyle Castle
31
Leenaun
Killateeaun
Mask
N17
Milltown
Boyounagh
Roscommon
Aughrus More
Letterfrack
Connemara National park
Ballykine Castle
Aghalahard Castle
Kilmaine
Kilbenan Cross Roads
Dunmore
Glennamaddy
Fuerty
Omey Island
Cloghbrack
Cross
Athleague
N59
Finnisglin
Lough Inagh
Cornamona
Cong
N84
Shrule
Beagh
Levally
Kilkerrin
Mount Talbot
Errislannan Point
Clifden
Derryclare Lough
Lough Corrib
Belclare
Tuam
N83
Newbridge
Doonloughan
Mannin Bay
Recess
30
Maam Cross
Headford
Barnaderg
N63
Mount Bellew Bridge
Ballyconneely
N59
Toombeola
N59
Oughterard
Carrowmoreknock
Moylough
Bertraghboy Bay
Doonreaghan
Aughnanure Castle
Ross Lake
N17
Corrofin
Knockmoy Abbey
Abbey
Castleblakeney
Roundstone
Glencon
Castle-quarter
N63
Ballymacward
Glinsk
Turloughmore
Monivea
Croaghnakeela Island
Moyrus
Kilkieran
Kinvarra
Moycullen
Claregalway
Woodlawn
Ballinasloe
Carna
Menlough
Galway Airport
New Inn
Costelloe
Galway
N6
M6
Esker
Attymon
M6
Mweenish I.
Finish I.
Gorumna Island
Oranmore
Cappataggle
Clontuskert Abbey
Lettermullan
Carraroe
Inveran
28
Kilcaimin
N18
Kilreekill
Greatman's Bay
Castle Point
Spiddle
Barna
Craughwell
Laurencetown
Kilcolgan Point
Kilcolgan
Carmelite Monastery
Galway Bay
N67
Loughrea
Killimor
Rock Island
Kilmurvy
Ardrahan
M18
L. Rea
Burren
26
Brannock Islands
Kilronan
Ballyvaghan
N86
Kylebrack
Derryhivney Castle
Thoor Ballylee
Aran Islands
Killeany
Gregory's Sound
Fanore
Bell Harbour
Kinvarra
Abbey
Peterswell
Portumna
Inishmaan
Megalithic Tombs
N67
Ballyhees
Cahermacnaghten Stone Fort
Gort
Derrybrien
Inisheer
Lisdoonvarna
Marblehill Megalithic Tombs
ATLANTISCHER
Doolin
Burren National park
Lough Cutra
Leamaneh Castle
Flagmount
Coolbaun
Cliffs of Moher
25
N67
Kilfenora
Drumandoora
Lough Derg
Ennistimon
L. Cullaun
L. George
Whitegate
Ardcrony
OZEAN
Liscannor
Lehinch
Corrofin
Crusheen
Feakle
Mountshannon
Scarriff
Liscannor Bay
N85
Derg
Drominee
Spancelhill
Tulla
Miltown Malbay
Kilnamona
Inagh
Bodyke
Ogonnelloe
Nenagh
Caherrush Point
Ennis
M18
Quin
Quilty
Kilkishen
Broadford
Beal Boru Fort
Killaloe
M20
Mutton Island
Knocknalassa Megalithic Tomb
Clarecastle
Darragh
Craggaunowen Project
Mullagh
Bridgetown
Silvermines
Carrowmore Point
Lissycasey
Newmarket on Fergus
Hurlers Cross
Cloonlara
Doonbeg
Donegal Point
Kilmihil
Creegh
Montpelier
Corbally
King John's Castle
Bealaha
Ballynacally
Cratloe
Rear Cross
George's Head
Cooraclare
Shannon
Newport
Kilkee
N68
Kilmurry McMahon
Foohagh Point
LIMERICK
Kilrush
Moveen
N
10 km

25 Spektakuläre Schönheit – Cliffs of Moher

Dem Himmel so nah

Die atemberaubenden Cliffs of Moher im County Clare gehören zu den beliebtesten und spektakulärsten Attraktionen an der irischen Westküste. An ihrem höchsten Punkt, dem O'Brien's Tower, stürzen sie 230 Meter hinab ins Meer. Noch imposanter ist allerdings ihre horizontale Ausdehnung: Über acht Kilometer hinweg gibt es hier nichts als Wasser, Steilklippen und den Himmel über uns.

Manchmal reichen Naturwunder einfach nicht aus, um Besucherströme anzulocken. Dann kommen Experten, Geologen, Botaniker, Museumspädagogen, Projekt- und Tourismusentwickler zu Wort und beginnen etwas auszuhecken. Die Cliffs of Moher haben das mit Sicherheit gar nicht nötig gehabt, aber manchmal bereiten dann doch viele Köche einen schmackhaften Kuchen.

Planierraupen und Bulldozer

Ein neues Besucherzentrum für die am meisten besuchte Attraktion Irlands, die spektakulären Cliffs of Moher, wurde seit Anfang 1990 diskutiert, geplant und im Februar 2007 eröffnet. Lange Zeit sah es so aus, als wären alle Baufahrzeuge Irlands im County Clare unterwegs, um eines der letzten archaischen Naturmonumente der Welt einzubetonieren. Vor der Silhouette der acht Kilometer weiten Klippenlandschaft von Moher klaffte ein riesiger Erdaushub bis hin zum Hag's Head. Die grasgrünen Hügel am O'Brien's Tower schien man abtragen zu wollen. Entlang der spektakulären Klippenkante war ein gepflasterter Weg mit einem palisadenartigen Zaun aus Steinplatten bereits fertiggestellt. Von den Erdumwälzungen aber ist zum Glück heute nichts mehr zu sehen. Der dama-

An den Cliffs of Moher schwebt man 230 Meter über dem Meer (unten). Rund um den O'Brien's Tower sammeln sich die Besucher, besonders zum Sonnenuntergang (rechts oben). In Lisdoonvarna werden die Ehen in Willie's Bar geschlossen (rechts unten).

lige Premierminister Bertie Ahern, später wegen finanzieller Unregelmäßigkeiten zurückgetreten, weihte das neue Bauwerk ein, das seit seiner ersten Planungsphase so viel Aufsehen erregt. Und manch einer der Gäste konnte es nicht einmal auf Anhieb ausmachen. Denn das 31,5 Millionen Euro teure Ensemble aus Restaurant, Café, Ausstellungsräumen und Souvenirshop wurde elegant ins Innere der Klippen versenkt und lugt jetzt wie das Cockpit einer fliegenden Untertasse mit Panoramascheiben über die atemberaubende Atlantikszenerie. Die hügelige Grashaube wurde dem Besucherzentrum am Ende wieder aufgesetzt.

Spaziergang am Rand des Abgrunds

Knapp eine Million Besucher sind jährlich an der von starken Böen umwehten Klippenkante unterwegs. Warnhinweise, über bestimmte Ecken nicht hinauszuschreiten, wurden oft genug in den Wind geschlagen. Mit der neuen Umfriedung aus Steinplatten und Aussichtsbuchten wurden an den 250 Meter langen South Cliffs nun für mehr Respekt vor den nur spärlich bewachsenen Abgründen gesorgt und gleichzeitig der Naturraum stärker geschützt. Dabei hat man das Material für den Steinzaun aus den Klippen herausgeschnitten und so zugleich einen maritim-geologischen Lehrpfad über dem Atlantik geschaffen. Diese faszinierenden Einblicke in die Geohistorie der Klippen zeigt auch die Ausstellung im neuen Besucherzentrum. Und selbst bei schwieriger Wetterlage wird den Gästen nun der atemberaubende Ausblick über die Atlantic Edge und den tobenden Ozean garantiert sein. An klaren Tagen kann man bis zu den Aran-Inseln hinüberschauen, am Horizont tauchen schemenhaft die Berge von Connemara auf. Mit dem Fernglas lassen sich 30 verschiedene Vogelarten beobachten, darunter die putzigen Papageitaucher, die in den Klippen nisten.

Ein ganz besonderes Erlebnis ist auch der Blick von unten nach oben, dazu muss man einen der Fischkutter in Doolin besteigen und sich einer Cliffs-of-Moher-Kreuzfahrt anvertrauen. Gottvertrauen gehört an windigen Tagen allerdings dazu, denn auf mancher Nussschale erwartet einen sicherlich kein Captain's Dinner.

PARTNERVERMITTLUNG AUF IRISCH

Sich vor lauter Verzweiflung die Klippen hinabzustürzen, weil man keine Partnerin oder den Partner fürs Leben abbekommen hat, muss heute niemand mehr. Die Rettung naht in Form des jährlichen Matchmaker Festivals im September, das in Irlands einzigem Heilbad Lisdoonvarna gefeiert wird. Im Gegensatz zu manch mondänem Kurbad war Lisdoonvarna immer ein Treffpunkt der einfachen Leute, die hier im warmen Schwefelwasser ihre Zipperlein lindern konnten. Und natürlich bot solch ein Wellness-Wochenende auch die Gelegenheit, zarte Bande zu knüpfen. Am Rande der Cliffs und des Burren muss das schon immer besonders erfolgreich gewesen sein, denn zahlreiche Heiratsvermittler boten hier ihre Dienste an. Heute hat das Matchmaker Festival zwar eher Volksfestcharakter, an dem Whiskey und Bier, Musik und Klimbim im Vordergrund stehen, einen echten Matchmaker gibt es in Person von Willie Daly aber noch immer in Lisdoonvarna. Sinnigerweise natürlich auch eine deckungsgleiche, Pardon, namensgleiche (Matchmaker) Bar.

WEITERE INFORMATIONEN

Cliffs of Moher Visitor Centre,
www.cliffsofmoher.ie
Matchmaker Festival,
www.matchmakerireland.com
Website: www.cliffs-of-moher-cruises.com

In den Dörfern des Burren wie Ballyvaughan laden hübsche Cafés in alten Cottages zur Rast ein (oben). Wo der Burren in die Küstenlandschaft übergeht, wirkt er verlassen (rechts oben). Der Poulnaborne-Dolmen ist eines der beliebtesten Fotomotive der Karstlandschaft (rechts unten).

26 Verkannt – Burren

Boireann – Felsland aus grauer Vorzeit

Irland wird zu Recht als die »grüne Insel« bezeichnet, manche haben an die 40 Grüntöne gezählt. Es gibt aber im Nordwesten von Clare eine Region, da beherrscht eine hellgraue Felslandschaft die Szenerie: Mit dem Burren, dem großen Kalksteinmassiv, wollten selbst die wildesten Heerführer nichts zu tun haben. »Kein Wasser zum Ertränken, kein Baum zum Erhängen, keine Erde zum Begraben.« Sie haben nicht genau hingesehen.

Man weiß es nicht so genau am Vormittag, war es das Singen, das Tanzen oder doch die Getränke – angeschlagen, aber keineswegs niedergeschlagen trottet man nach einem ausgiebigen Pub-Abend über die Straße. »Hast wohl Zitronenmarmelade zum Frühstück gehabt«, spottet Paddy, der einem quietschvergnügt über den Weg läuft, als käme er geradewegs vom Tanzfest mit der berühmten Kilfenora-Céilí-Band, die schon auf der ganzen Welt aufgespielt hat, von Chicago bis Sydney: »Wenn du einen klaren Kopf brauchst, geh am Strand von Spanish Point am Meer spazieren und warte, bis die nächste Set-Dance-Welle anrollt und dich packt. Oder, noch besser, geh im Burren wandern. *Cheerio, my friend.*«

Mondlandschaft mit Enzian

Letzteren Vorschlag sollte man wirklich aufgreifen, denn im »Steinigen Ort« wird die Seele gereinigt. Was sich da an die Cliffs of Moher anschließt und ausbreitet, ist eine Urlandschaft, manche sehen eine Mondlandschaft, wie es nur noch wenige in Europa gibt. In Kilfenora, aus dem die großartige Céilí-Band stammt, steht heute ein Besucherzentrum, das die Naturfreunde mit der wunderbaren Welt des Burren vertraut macht. Das Kalksteinplateau erstreckt sich über eine Fläche von 250 Qua-

Das Fleadh Nua Festival im Mai zieht viele Tanzgruppen an (oben). Irland ist in vielen ländlichen Gegenden wie im County Clare noch immer ein tiefreligiöses Land (unten). Ballyvaughan hat sich zum schicken Fischerdorf gemausert (rechts oben). Während des Musikfestivals in Milltown Malbay wird auch tagsüber gefeiert (rechts unten).

dratkilometern im Nordwesten des County Clare, und obwohl es zuweilen wie eine Kalksteinwüste erscheint, so gehört es doch zu den bezüglich seiner Flora artenreichsten Gebieten Europas. Schon nach einigen Hundert Metern in der Welt des Burren kommt man sich vor, als betrete man als erster Mensch diese Landschaft, dabei ist der Burren schon seit über 6000 Jahren bewohnt. Trotz der steinigen, windumtosten Flächen findet man auf wundersame Weise hier Pflanzen aus dem arktischen und dem Mittelmeerraum, wilde Orchideen,

Thymian und Pfefferminze, Storchschnabel, Enzian und Schlüsselblumen, die sich durch die Felsspalten schieben. Ob Pyramiden- oder Froschorchidee, Johanniskraut, Wicken oder Roter Klee, dem Schöpfer und den wilden Ziegenherden zum Trotz breitet sich eine Pflanzenvielfalt aus, die den nackten Fels auf ein Fünftel der Gesamtfläche zurückgedrängt hat.

Klappernde Knochen im Wind

In diesem Wunderland aus Kalkstein gibt es natürlich sagenumwobene Orte wie das Poulnabrone-Hünengrab. Zur Wintersonnenwende scheint in den Dolmen, der 3500 Jahre vor Christus errichtet wurde, direkt die Sonne hinein. Die meist noch unerforschten Höhlensysteme und unterirdischen Flussläufe des Burren regen die Fantasie an. In alten Gemäuern wie der Corcomroe Abbey aus dem 12. Jahrhundert bei Bellharbour steht plötzlich zwischen all den steingrauen Mauern und majestätischen Spitzbögen eine farbenfrohe Marienstatue, hier liegt der letzte König von Munster, Connor O'Brien, begraben. Das hat schon William Butler Yeats zu einer Geschichte inspiriert, nachzulesen in *Shaking of the Bones*. Die Knochen können einem schon klappern, wenn der Wind Schauer über die Ebenen peitscht und der Weg zum Black Head, nach Fanore, einem verträumten Ort mit schönem Strand, oder zum wärmenden Torffeuer in Gus O'Connor's Pub in Doolin noch weit ist. Dort begegnet einem Máire Rua, die Rote Mary, in Form einer weiteren Burren-Legende. Als ihr Gatte Connor O'Brien, Burgherr von Leamenah Castle, 1651 im Kampf gegen die Protestanten fiel, versuchte die Witwe sogleich, den Besitz für ihre acht Kinder zu retten und heiratete einen cromwellschen Offizier. Der stürzte dann unter ungeklärten Umständen vom Burgturm. Die Rote Mary ging zwar als männermordende Hexe in die Geschichte ein, gestorben ist sie aber 1668 eines natürlichen Todes.

Tanz und Tradition

Die Hauptstadt von Clare heißt Ennis und versucht mit Erfolg, ihr Graue-Maus-Image abzu-

legen. Früher fesselte man die Besucher mit einem ausgeklügelten System an Einbahnstraßen, heute sind es die farbenprächtigen Läden der Altstadt wie das giftige Lila des »Giftworx«, das Goldgelb der »Wine Press« oder das beruhigende Gelb des »Forever Healthy«-Shops. Außerdem ist hier eine lebhafte Diskussion im Gang, was traditionelle irische Musik und Tanz ausmacht und was an Modernisierung erlaubt ist. Darf zum Beispiel eine Band mit Gitarre auftreten oder dürfen nur die alten Instrumente eingesetzt werden? »Das ist die alte Frage nach *Gold or Glory*«, sagt P. J. Curtis, in Clare geborene Autorität, was *Traditional Irish Music* betrifft. Als Radiomoderator, Musikjournalist und Plattenproduzent weiß er, wovon er spricht: »Das Thema Riverdance wird heftig diskutiert. Die Traditionalisten lehnen es ab, die Fortschrittlicheren wollen mehr moderne Einflüsse, sonst sterben die alte Musik und die Tänze aus.« Angefangen hat die ganze Bewegung in den Häusern der Menschen hier in Clare, hat sich in den 1970er-Jahren in die Pubs und Concert Halls verlagert, und seit den 1980ern gibt es immer wieder kleinere musikalische Innovationen, die assimiliert werden. Nicht ohne Widerstand. Und der größere Teil der jüngeren Leute, die heute in Clare in ein Pub gehen, ist nicht mehr besonders interessiert an der traditionellen Musik.

Dreh dich um, aber richtig

Diese Meinung vertritt auch Katie Verling, Direktorin des Glór – Irish Music Centre in Ennis, eines Kulturzentrums, das vor einigen Jahren eröffnet wurde und das über modernste Bühnentechnik und beste Akustik verfügt: »Wir kümmern uns natürlich um das große musikalische Erbe des County Clare, aber für Gruppen wie Clannad oder Planxty bekäme ich heute kein ausreichendes Publikum mehr. Riverdance ist eine brillante Show, Ergebnis der Innovationen der irischen Musik, hat aber nur wenig mit den Traditionen zu tun. Dennoch: Man darf die Augen nicht vor der Realität verschließen. Fragen Sie die Leute, woran man in Ennis im Pub einen Touristen von einem Iren unterscheiden kann. Der Tourist dreht sich zur Musik um, der Ire zeigt ihr seinen Hintern.« Ob nun mehr Traditionelles oder Riverdance-Kommerz, im Glór, was so viel wie »Stimme« bedeutet, hat beides seinen Platz, auch die unvermeidlichen Setdancing-Kurse. Und in Clare wird sicher beides überleben, Traditionelles und Modernes, Einsamkeit im Burren und Folkfestivals auf dem Lande.

TANZEN UND MUSIZIEREN

Milltown Malbay, der kleine Ort an der Küste zwischen Kilkee und Lahinch an der Malbay, wird jeden Juli zum Mekka der Musikfans. In Clare liegen die Wurzeln der traditionellen irischen Musik und des Tanzes, doch Milltown Malbay setzt allem die Krone auf: keine Wiese ohne Zelt, kein Pub oder Hotel ohne Livemusik, kein größerer Raum ohne Tanzkurse. Die hiesige Willie Clancy Summer School of Traditional Music and Dances huldigt einem der größten Musiker Irlands. Willie war ein Guru der irischen Musik, seit 1973 gibt es das Festival in Milltown Malbay, und es ist noch immer wie damals: Überall singt, tanzt und fiedelt es um die Wette. »Advance, forward, backwards, across, dance in place four bars, advance again, dance in cross. Next figure: One-two-three, one-two-three ...« In der Luft liegen Guinness, Schweiß und Freudentränen über erste gelungene Schritte. Und mitmachen kann jeder, der bis drei zählen kann.

WEITERE INFORMATIONEN

The Burren Centre, Kilfenora, Tel. (065) 708 80 30, www.theburrencentre.ie
Willie Clancy Summer School of Traditional Music and Dances, www.scoilsamhraidhwillieclancy.com
Websites: www.visitennis.ie, www.glor.ie, www.clarelibrary.ie

Der Hauptort Kilronan auf Inishmore ist heute das Zentrum der Inseln (oben). Über die Aran-Inseln zieht sich ein Musterteppich aus Steinmauern (rechts unten), die auch den Kälbern Schutz vor Wind und Wetter bieten (rechts oben).

27 Wohltuende Langsamkeit – Aran Islands

Die Magie unbändiger Natur

Inishmore, Inishmaan, Inisheer – das sind nicht nur Namen, das klingt wie ein Gebet. Mit dem Schiff erreicht man die Aran-Inseln in einer Dreiviertelstunde von Rossaveal aus; wer es eilig hat, kann mit Aer Arann vom Connemara Airport herüberhüpfen. Doch Eile ist hier unangebracht, keiner hastet über die Inseln, denn die Uhren gehen auf den Aran Islands anders.

Der Rhythmus des Meeres und des Windes bestimmt das Leben, mächtig ist hier nur die Natur. Sehr mächtig sogar, das zeigen schon die dramatischen schwarzen Klippenlandschaften, in die sich die Wogen immer weiter hineinfräsen. Die Aran-Inseln gehören zwar zum County Galway, geologisch gesehen bilden sie aber eine Fortsetzung des Burren im County Clare. Sie waren schon in der Eisenzeit besiedelt, und auch die ersten christlichen Klosteranlagen gehen bis ins 5. Jahrhundert zurück. Generation für Generation musste den kargen, von Eiszeitgletschern gebildeten Felsenplateaus ein bisschen fruchtbaren Boden abringen, für Bäume ist die Humusschicht zu dünn, der Wind zu stark und die Luft zu salzig.

Mit Bus und Pony auf Inishmore

Auf der größten und westlichsten der Aran-Inseln, dem 14 Kilometer sich ins Meer streckenden Inishmore, leben heute etwa eintausend Menschen. Man kann mit dem Bus oder mit der Pferdekutsche die Insel vom Hauptort Kilronan aus erkunden, natürlich auch mit dem Fahrrad oder auf Schusters Rappen. Inishmore ist die am häufigsten besuchte Insel, und ihre bedeutendsten Attraktionen sind zwei der spektakulärsten archäologischen Stätten Irlands: Dún Aengus und Dún Dúchathair.

Neueste Untersuchungen datieren diese Steinforts auf die Zeit um 600 vor Christus, beide liegen direkt an den Steilklippen und sind bei Sturm nur mit äußerster Vorsicht zu besichtigen, denn es gibt keine Geländer. Sie strahlen eine archaische Faszination aus, gespeist vom tosenden Meer und den dramatischen Wolkenformationen, die über den Himmel von Inishmore ziehen. Ob man nun an die Kraft der Druiden glaubt oder nicht, ein Schluck Wasser aus der St.-Kierans-Quelle, die unterhalb des Dorfes Mainistir als keltisches Heiligtum hervorsprudelt, verklärt den Besuch auf Inishmore und soll zur Rückkehr bewegen.

Stricken auf Inishmaan

Die mittlere der drei Aran-Inseln, Inishmaan, ist nur halb so groß wie Inishmore, aber deshalb nicht weniger sehenswert. Dennoch verirrt sich hierher kaum ein Besucher. Wer also ein paar Tage seine Ruhe haben will vor dem Lärm der Welt, für den ist Inishmaan genau das Richtige. Einige der 250 Bewohner haben sich in einer Kooperative organisiert, die edle Strickwaren und Pullover in die ganze Welt exportiert. Auch ein Heimatmuseum ist der kleinen Fabrik angeschlossen, das von landwirtschaftlichen Geräten über typische Kleidungsstücke der Aran-Inseln bis zur aktuellen Kollektion das Inselleben in alter und neuer Zeit präsentiert. Dabei haben die heutigen Stücke nichts mehr mit dem klassischen, kratzigen Aran-Pullover gemein; sie werden mit feinster Wolle gestrickt, sind farbenfroh und kosten in den Boutiquen weltweit ein stolzes Sümmchen. Hier auf Inishmaan kommt also auch der Schnäppchenjäger auf seine Kosten. Da die Einwohner aber nicht allein vom Tourismus und der Fischerei leben, wirkt das Leben angenehm unaufgeregt. Das hat auch der berühmte Schriftsteller John Millington Synge zu schätzen gewusst und hier vor rund 100 Jahren einige Sommer verbracht. Aus seiner Feder stammt auch der Klassiker *The Aran Islands.*

Wandern auf Inisheer

Das kleine Inisheer liegt nur wenige Kilometer vor der Küste von Clare, konnte sich aber aufgrund der erst vor rund 40 Jahren einsetzenden Erschließung mit den Errungenschaften der modernen Zivilisation wie Strom und Telekommunikation bis heute seinen ursprünglichen Zauber bewahren. Auf einer gemütlichen Rundwanderung kann man Inisheer erkunden und den Ausblick vom höchsten Punkt, dem O'Brian's Castle aus dem 15. Jahrhundert, genießen.

DIE MÄNNER UND DAS MEER

Es gibt inzwischen eine lange Liste an Schriftstellern und Literaten, die die Aran-Inseln zu ihrem Thema gemacht haben, von Liam O'Flaherty bis John Millington Synge. Tim Robinson legt in seinem kleinen Verlag Folding Landscapes in Roundstone im County Galway mit detaillierten Karten, Führern und Kulturstudien zu den Aran-Inseln ausgezeichnete und hilfreiche Werke auf, die für jeden Besucher einen Gewinn bedeuten. Den bisher besten Dokumentarfilm zum harten Leben auf den Inseln hat mit dem Filmklassiker *The Man of Aran* Robert Flaherty 1934 gedreht. Die Schwarz-Weiß-Bilder der mit den Unwettern kämpfenden Männer von Aran in ihren kleinen geteerten Booten, den *curraghs,* gehen noch heute unter die Haut. Szenen wie die heimkehrenden Fischer mit dem ans Boot gebundenen Haifisch erinnern an Ernest Hemingways *Der alte Mann und das Meer,* für das er 1954 den Literaturnobelpreis bekam. Ob Hemingway den Film gekannt hat, ist nicht bekannt, zu sehen bekommt man ihn auch im Aran Heritage Centre.

WEITERE INFORMATIONEN

Aran Heritage Centre, Kilronan, Inishmore, www.visitaranislands.com
Websites: www.aran-isles.com, www.foldinglandscapes.com

Die Kathedrale von Galway wird am Abend blau angestrahlt und wirkt so noch imposanter (oben). Am Claddagh Quay, dem alten Hafen (rechts oben), trifft sich heute die Jugend. Im Latin Quarter geht am Abend in der lebhaften Pub- und Bar-Szene die Post ab (rechts unten).

28 Geschichte und Moderne – Galway City

Kulturzentrum des Westens

Galway, mit rund 73 000 Einwohnern die größte Stadt an der Westküste, hat sich zu einem bedeutenden Kultur- und Geschäftszentrum entwickelt. Eine äußerst lebendige Festivalszene, eine gelungene Mischung aus mittelalterlichem Altstadtkern und modernen Städtebauelementen und die vielen Studenten und Künstler aller Richtungen verleihen Galway, dem Tor des Westens, ein kosmopolitisches Flair.

Dass in Galway das Leben tobt, ist beileibe nicht übertrieben. Bunt, laut, manchmal ausgeflippt geht es in Galway zu, nicht nur in den zahlreichen Pubs der Altstadt. Musiker und Gaukler scheint die Stadt am River Corrib anzuziehen wie das Licht die Glühwürmchen. Eine vielfältige Kulturszene – kaum ein Monat vergeht ohne ein Festival – prägt das Bild, verleiht im Sommer Galway südländischen Charakter. Ob zu den Pferderennen während der Galway Races, dem Austern- oder dem Literaturfestival, hier kommt jeder auf seine Kosten. Und Galway wird immer beliebter, ein Strom von Zuwanderern macht die City zu einer der am schnellsten wachsenden Städte in Europa.

Vom Fischerdorf zur Metropole

Am Claddagh Quay schlägt das historische Herz Galways. Am Westufer des Corrib gab es schon im 13. Jahrhundert ein Fischerdorf, das sogar bis ins 20. Jahrhundert hinein seinen eigenen König wählte, der als Bürgermeister und Friedensrichter die Geschicke der Gemeinde lenkte. Von der alten Siedlung ist nichts mehr erhalten, doch am Hafen sieht man noch heute einzelne Galway Hooker, mit den traditionellen Booten brachten die Fischer ihren Fang an Land. Hooker heißt heute allerdings auch eine in Galway gebraute Biersorte. Der von Ronan Brennan und Adrian Murphy gebraute Stoff wird in allen Pubs der Stadt ausgeschenkt und kommt ganz

THE LATIN QUARTER
Fáilte
Chicago

Sehnsüchtig aufs Meer schauen ist eine beliebte Freizeitbeschäftigung in Galway City (oben) – und shoppen in der High Street (unten). Die Kuppel der St.-Nicholas-Kathedrale dominiert die Stadt (rechts oben). Die Galway Races ziehen Pferdefreunde aus aller Welt an (rechts unten).

ohne chemische Zusätze aus. Galway Hooker ist nach wenigen Jahren eine solche Erfolgsgeschichte geworden, dass bereits an Export gedacht wird. Noch eine weitere Spezialität hat die Zeiten überlebt, die Claddagh-Ringe. Sie sind noch heute als Verlobungs- oder Eheringe sehr beliebt. Ihr Design besteht aus einem Herz als Symbol der Liebe, das von zwei ausgestreckten Händen, die Freundschaft bedeuten, getragen wird. Die Krone darüber symbolisiert die Treue. Nicht nur bei Thomas Dillon's Claddagh Gold, dem ältesten Juwelierladen der Stadt, gibt es die auch bei Touristen beliebten Ringe, jeder Souvenirladen hat sie natürlich im Sortiment. Und so findet man sie mittlerweile auf der ganzen Welt. Mit dem Hooker-Bier wird das noch eine Weile dauern.

Märkte, Museen und Festivals

Galways schönster Markt befindet sich in der Churchyard Street, direkt im Schatten der Church of St. Nicholas of Myra, die mit ihrer imposanten Kuppel das Stadtbild beherrscht. Christoph Kolumbus soll der Legende nach hier 1477 gebetet haben, eine naheliegende Geschichte, die im Zusammenhang mit dem heiligen Brendan steht, der schon im 6. Jahrhundert von Galway aus nach Amerika gesegelt sein soll. In der Fußgängerzone der Altstadt gibt es viele kleine Läden, Boutiquen und Kunsthandwerkerläden, die Galway einen besonderen Charme verleihen. Ob Bücher bei Hawkins, Tin Whistles bei Powell & Sons oder die noch so seltenen Irish-Folk-CDs bei Mulligan's oder Pullover bei Padraic O'Maille's in der High Street, hier findet jedes Shoppingherz Erfüllung. Wem der Sinn mehr nach Kultur steht, besucht das Galway City Museum, das die Stadtgeschichte vom Mittelalter bis in die Neuzeit mit sehenswerten Exponaten präsentiert, oder wirft einen Blick ins Nora Barnacle House in der Bowling Green 8. Hier wohnte die spätere Ehefrau von James Joyce. Unbedingt sehen sollte man auch die Kenny Gallery im Liosbán Retail Park, die in bedeutenden Ausstellungen irische und internationale Künstler zeigt. Auch an den Festivals kommt man nicht vorbei, ob Literaturfestival im April, das Kunstfestival im Juli, Filmfestival, Rennwoche oder Austernfestival, das ganze Jahr hindurch gibt es in der Stadt etwas zu feiern, für Auge, Ohr und Gaumen.

Wem nach all den Festivitäten ein wenig Ruhe und Entspannung guttun, der findet im Eyre Square Erholung. Im großen Stadtpark zwischen Bahnhof und Fußgängerzone sticht eine Brunnenskulptur zwischen den Grünflächen ins Auge, die an große Segel erinnert. Damit wird

der Handelstradition der Stadt gedacht, als schon im Mittelalter von Galway aus die Handelsschiffe über die Meere segelten. Der Park ist übrigens offiziell nach John F. Kennedy benannt, Galways Ehrenbürger, doch in der Bevölkerung heißt er weiterhin Eyre Square. Selbst das angegliederte Eyre Shopping Centre setzt auf Alt und Neu, hat einen Teil der Stadtmauer und einen Turm restauriert und in das Ensemble integriert. Auch der Torbogen Spanish Arch gleich hinter der Wolfe Tone Bridge am Fluss war vermutlich ein Teil der mittelalterlichen Stadtmauer, durch die Handelsschiffe hindurch mussten, um ihre Waren, vor allem Wein aus Spanien, zu entladen. Und an der Salmon-Weir-Brücke, im Schatten der Galway Cathedral, kann man im Frühjahr den Lachsen zusehen, wie sie mit großen Sprüngen die Fischtreppe überwinden auf dem Weg zu ihren Laichgründen. Auch an der O'Brien Bridge kann man in einem schönen Café am Kulturzentrum die Seele baumeln lassen, eine geschmackvoll restaurierte Mühle bietet der Kunst und dem Kunsthandwerk hier ein stilvolles Zuhause.

Flanieren in Salthill

Ein äußerst beliebter Ort bei Einheimischen wie Besuchern ist die Uferpromenade zwischen Stadtrand und dem Vorort Salthill, und das zu jeder Jahreszeit. In Salthill setzt man sich dann in einen der zahlreichen gemütlichen Pubs und genießt den Ausblick auf die Bucht und den Atlantik. Besonders am Abend und zwischen Mai und September erwacht Salthill aus seinem Dornröschenschlaf, wenn die traditionelle irische Tanz- und Musikveranstaltung Trad on the Prom gefeiert wird. Salthill hat noch eine weitere Attraktion zu bieten: Im Galway Atlantaquaria, das sich mit dem Titel National Aquarium of Ireland schmückt, kann man in den großzügig angelegten Meereswasserbecken so ziemlich alles sehen, was die Meere bevölkert. Mancher streckt dann die Hand in den Touch-Pool, um einmal zu spüren, wie sich Krebse oder Seesterne anfühlen. Ob gezwickt oder nicht, Galway hinterlässt bei seinen Besuchern einen bleibenden Eindruck, manche bleiben sogar für immer, viele kommen wieder, in die Stadt der Festivals an der Westküste, die es versteht, Tradition und Moderne zu verbinden.

RENNEN BIS ZUM ABWINKEN

Am letzten Montag im Juli ist es so weit, dann geben sich die Pferdeverrückten ein Stelldichein in Galway. Für sieben Tage dreht sich in der Stadt und außerhalb in Ballybrit, drei Kilometer östlich vom Zentrum, alles um schnelle Vierbeiner. Aufregende Rennen, Herzschlagfinale und grandiose Mode, während der weltberühmten Galway Races ist für jeden etwas dabei. Entsprechend bunt gemischt ist auch das Publikum. Pferdeliebhaber und Wettkönige, Stallbesitzer und High Society, Partyvolk, Promis und ganz normale Sterbliche zieht es aus allen Gegenden Irlands, aus ganz Europa und aus Übersee nach Galway, um bei der völlig ausgeflippten Pferderennsportwoche dabei zu sein. Bereits im August 1869 wurde in Ballybrit die erste zweitägige Rennveranstaltung durchgeführt, doch die Tradition reicht noch viel weiter zurück: Aufzeichnungen aus der Mitte des 13. Jahrhunderts belegen, dass es im County Galway schon damals Pferdeshows und Rennen gab.

WEITERE INFORMATIONEN

Galway Tourist Office, Forster Street, Galway, Tel. (091) 53 77 00, www.galwaytourism.ie
Websites: www.galway.net, www.giaf.ie

Ginster und Moorland prägen Connemara (oben). Kylemore Abbey besitzt schön restaurierte Gärten (rechts oben), und die Ruinen des D'Arcy Castle gehen auf den High Sheriff John d'Arcy von Galway zurück, dem das Land um Clifden zu Beginn des 19. Jahrhunderts gehörte (rechts unten).

29 Balsam fürs Gemüt – Connemara

Landschaften der Seele

Es gibt Gegenden auf dieser Welt, die einen, kaum hat man sie betreten, gefangen nehmen und nicht mehr loslassen. Wie von unsichtbarer Hand geleitet, wird man in Trance versetzt, enthoben aller Sorgen, und fühlt sich dort angekommen, wo man hingehört. Connemara an Irlands Westküste ist solch eine Seelenlandschaft, aus der man am liebsten gar nicht mehr zurückkehren möchte in den Alltag.

Sicher, Irlands gesamte Westküste und die Inseln breiten einen magischen, romantischen, manchmal auch dramatischen Zauber aus, dem man sich nicht entziehen kann. Dennoch haben sich einzelne Regionen wie Connemara ihren ganz speziellen Charakter bewahrt. Manche erinnert die Küste hier an Kanada, manche fühlen sich angesichts des Killary-Fjords nach Skandinavien versetzt. Idyllische Inseln wie Inishbofin und Inishturk stehen im Kontrast zu den Maamturk Mountains und der Gebirgskette der Twelve Pins, einer Wanderregion par excellence, die keine Wünsche offen lässt. Wetterfeste Kleidung ist ratsam, denn der Wind kann hier biestig werden.

Inishbofin und die Lachse

Zudem ist Connemara eine der wichtigsten *Gaeltacht*-Regionen, in der das Gälische besonders intensiv gepflegt wird. Der gälische Radio-Sender *na Gaeltachta,* das gälische Fernsehen und die Wochenzeitung *Foinse* sind hier zu Hause. Irische Traditionen werden auch auf den Inseln vor Connemaras Küste gepflegt. Schon die halbstündige Überfahrt mit der Island Discovery nach Inishbofin ist ein Erlebnis. Von Cleggan an Irlands Westküste aus tuckert die Fähre übers Meer, durch wildromantische Buchten, in denen sich Wildlachse tummeln, hinüber zu einer Insel vor Connemaras Küste, die heute noch 200 Einwohner aufweist.

Solche kleinen, weißen Bauernhäuser stehen hier allüberall (oben und rechts). An Connemaras Stränden findet man eine erstaunliche Vielfalt an Muscheln in allen Farben, Formen und Größen (unten). Im Abbeyglen Hotel lässt sich ausgezeichnet entspannen (rechts unten).

Inishbofin wird seit 600 Jahren bewohnt und ist berühmt für seine traditionelle Musik, die in Murray's Doonmore Pub Hotel gespielt und gesungen wird, und sein jährlich stattfindendes Kunstfestival. Inishbofin verzaubert aber nicht nur mit irischem Lebensgefühl, auch eine ein- bis zweistündige Wanderung entlang der Küste, zu einsamen Buchten und mythischen Orten samt Picknick an den Wogen des Atlantiks stellt eine Bereicherung jedes Tagesausfluges nach Inishbofin dar, der bei keiner Rundreise durch Irlands Westen fehlen sollte. Die Wege und Pfade der Insel sind leicht begehbar und auch für ältere Damen und Herren bestens geeignet. Zurück auf dem Festland, ist ein Abstecher zum Connemara Smokehouse der Familie Roberts am Bunowen Pier in Ballyconneely die passende Ergänzung. Der von Graham Roberts auf traditionelle Art trocken gesalzene und im Buchenfeuer geräucherte Wildlachs erzielt jedes Jahr auf den Foodfestivals nicht nur in Irland Spitzenpreise. Auf Voranmeldung gibt es Führungen durch das Smokehouse und natürlich Kostproben von Räucherlachs und Thunfisch, samt einer Kleinigkeit zum Nachspülen.

Dan O'Haras Cottage

Nur sieben Kilometer östlich von Connemaras Hauptort Clifden wird die Vergangenheit in Lettershea wieder lebendig. Hier lebte der weit über die Region hinaus bekannte Farmer Dan O'Hara bis zu seiner Vertreibung nach New York. Die bittere Lebensgeschichte Dans rührt noch heute viele Iren zu Tränen. Seine einfache Hütte im Schatten der Twelve Bens war Treffpunkt für Geschichtenerzähler, Bauern und Familien, sein Torffeuer stand jedem Gast zum Aufwärmen zur Verfügung. Mit seiner Frau und den sieben Kindern lebte er ein einfaches Leben, ernährte sich vom Kartoffelanbau und einigen wenigen Tieren, die zu seinem Hof gehörten. Doch der Landbesitzer erhöhte drastisch die Steuern, Dan konnte nicht mehr zahlen und wurde vertrieben. Auf der Überfahrt starben seine Frau und drei seiner Kinder, die anderen musste er der Wohlfahrt übergeben. Als gebrochener Mann verkaufte er in den Straßen von New York Streichhölzer bis zu seinem Lebensende.

»Sure it' poor I am today,
For God gave and took away,
And left without a home poor Dan O'Hara.
With these matches in my hand,
In the frost and snow I stand
So it's here I am today your brokenhearted.«

Martin Walsh und seine Familie haben das alte Cottage wieder aufgerichtet, bieten Farmholidays an mit Fischen, Wandern, Torfstechen.

Die Nonnen von Kylemore Abbey

Wehmut liegt in der Begrüßung der Äbtissin Magdalena FitzGibbon, wenn sie die Besucher von Kylemore Abbey im äußersten Westen Irlands in Connemara empfängt: »Lasst uns alle, die kommen, wie Christus selbst empfangen, mahnt uns der heilige Benedikt.« Das wird auch in Zukunft so sein, denn Kylemore Abbey, das älteste Benediktinerkloster in Irland, der wunderbar restaurierte viktorianische Garten, die neogotische Kirche und das sehenswerte Besucherzentrum samt Restaurant und Souvenirshop werden keineswegs geschlossen. Auch die heute in Kylemore noch lebenden Benediktiner-Nonnen werden nicht umziehen müssen, ihre Gebete, Messen und religiösen Studien weiterhin das Tal mit Frieden erfüllen. Doch eines der renommiertesten internationalen Mädcheninternate des Landes schloss im August 2010 seine Tore: Die Nonnen von Kylemore Abbey waren schlicht und einfach zu alt geworden, um den Unterricht fortführen zu können. Und jüngere Nonnen zieht es offenbar nicht in die wildromantische Abgeschiedenheit des Connemara-Nationalparks. Das war einst anders, die seit 1920 hier lebende Gemeinschaft der Nonnen hat eine über 340-jährige Geschichte, die bis zur Gründung des Ordens im Jahr 1665 im belgischen Ypern zurückreicht. Derzeit studieren hier noch 28 Schülerinnen, sie stammen alle aus der Gegend um Connemaras Hauptstadt Clifden, und wie es sich geziemt, werden auch alle noch bis zu ihrem Abschlusszeugnis in Kylemore Abbey bleiben können.

Ein Paradies entsteht

Die Schließung des Internats bedeutet einen großen Verlust nicht nur für das Bildungsangebot der Region und ganz Irlands, auch ein Stück des besonderen Geistes, der aus Kylemore Abbey in die Welt hinausstrahlt, wird verlöschen. Aber Besucher werden weiterhin nach Kylemore strömen und eine besondere Atmosphäre klösterlichen Lebens, in Gebet, Abgeschiedenheit und meditativer Stille erleben können. Auch wenn die wunderbar restaurierten Gartenanlagen immer mehr Besucher anlocken, wie ganz Connemara, das sich zu einem Wander- und Urlaubsparadies gemausert hat.

CONNEMARA AUTHENTISCH

Brian Hughes ist ein wahrer Sohn Connemaras. Hier geboren und aufgewachsen, betreibt er mit seinem Bruder nicht nur das beste Hotel in Clifden, sondern er hat mit seinen Freunden Gerry McCloskey und Gerry Greensmyth auch noch Connemara Safari gegründet, einen kleinen, aber feinen Veranstalter für Insel- und Wandertouren durch seine Heimat. Zu den schönsten Bergen, versteckten Buchten und romantischsten Winkeln führen die drei passionierten Wanderer die Besucher, und spätestens wenn Brian am Strand von Inishbofin seine Gitarre auspackt, Gerry den Champagner öffnet und frisches Brot mit Lachs serviert wird, fragt sich jeder: Warum sollte ich jemals wieder von hier weggehen?

WEITERE INFORMATIONEN

Connemara Tourism, Clifden, Connemara, Tel. (095) 226 22, www.connemara.ie
Abbeyglen Castle Hotel, Sky Road, Clifden, Tel. (095) 212 01, www.abbeyglen.ie
Connemara Safari, www.walking connemara.com
Websites: www.connemara.net, www.npws.ie, www.inishbofin.com, www.smokehouse.ie, www.connemara heritage.com, www.kylemoreabbey.com

Der Schafmarkt in Maam Cross genießt im ganzen Land ein hohes Ansehen.

30 Ein lautes Blöken – Maam-Cross-Schafmarkt

Welch ein Kreuz mit den Schafen …

In Irland, so wird gern kolportiert, leben doppelt so viele Schafe wie Menschen. Das mag so sein. Ob es nun tatsächlich aber acht, elf oder nur sieben Millionen Blöker sind, weiß wahrscheinlich nicht einmal die EU ganz genau.

Seit die auf die reine Anzahl an Schafsköpfen abgestellte Subventionspolitik reformiert wurde in Richtung Biotoppflege, braucht keiner mehr die Herden zwischen Nordirland und der Republik hin- und herzutreiben, um am Zähltag auf eine erträgliche Summe zu kommen. Dennoch hat es mit dem Schaftourismus kein Ende, meint man jedenfalls Ende Oktober, wenn man sich bei Maam Cross aufhält. Schafe aus dem Norden von den Maamturk Mountains und dem Joyce County, aus dem Osten von den grünen Ufern des Lough Corrib, aus dem südlichen Glencoh, aus dem Westen aus der Gegend von Clifden – Schafe, wohin das Auge blickt. Zur Maam Cross Fair versammelt sich hier alles, was in der Schafzucht Rang und Namen hat.

Der General und die Gärten

Die Mitglieder von Castles & Gardens of Ireland legen großen Wert auf die wichtigsten zwei Komponenten, die ein Anwesen zur Heimat machen: ein geschmackvoll eingerichtetes Haus und sorgfältig gestaltete Gärten. Cashel House ist solch ein gelungenes Schmuckstück. Hier fällt es schwer, sich zu entscheiden, ob man sich lieber in den weitläufigen Gärten mit den drei Wasserläufen oder in dem dezent mit historischem Mobiliar ausgestatteten Herrenhaus aufhält. General Charles de Gaulle und seine Gattin haben im Mai 1969 dafür zwei Wochen gebraucht, als sie in Cashel House ihren Urlaub verbrachten.

Info: Cashel House Hotel, Cashel, Connemara, Tel. (095) 31001 www.cashelhouse.ie

31 Wandern am Wasser – Killary Harbour

Killary Harbour gilt als Irlands einziger Fjord. Große Rhododendren-Felder an seinen Ufern verbreiten südländisches Flair mit nordländischem Akzent.

Der Fjord, das Feld und die Bar

Stolze 15 Kilometer lang ist der Meeresarm, 600 Meter breit und über 45 Meter tief: Irlands einziger Fjord Killary Harbour kann sich wahrlich sehen lassen. Hier finden Jung und Alt Raum für aktive Erholung, aber auch für Entspannung.

Zwar streiten sich die Gelehrten, ob die wie ein Fjord aussehende Landschaft wirklich einer ist, doch ob von Gletschern der letzten Eiszeit geprägt oder nicht, interessiert im verträumten Leenane zwischen Mount Mweelrea, Devil's Mother und den Maamturk Mountains keinen. Auf beiden Seiten des Fjords gibt es tolle Wanderwege, von denen aus man auf die Muschelbänke hinabschaut, die heute eine der Haupteinnahmequellen der Fischer darstellen. In Leenane wurde 1989 der berühmte Film *Das Feld (The Field)* gedreht, mit Richard Harris als Farmer Bull McCabe in der Hauptrolle und unter Regie von Jim Sheridan. In Gaynor's The Field Pub traf sich damals die ganze Crew, und selbst nüchtern glaubt, wer Brendan Gaynor hinter dem Zapfhahn stehen sieht, den leibhaftigen Harris vor sich. Ein bisschen stolz ist Brendan auf seinen weißen Bart, den sie für die Hauptbesetzung glatt übernommen haben.

Chillen im Abenteuercamp

Nur drei Kilometer hinter Leenane liegt das Killary Adventure Centre, ein Abenteuerkomplex, der vom Hochseilgarten über Wassersport bis zu geführten Wanderungen den verschiedenen Altersgruppen entsprechende Pakete anbietet. Auch Übernachtungsmöglichkeiten zu moderaten Preisen im Stil einer modernen Jugendherberge gibt es, Oldies sind ausdrücklich willkommen.

Info: Gaynor's The Field Bar, Leenane, Tel. (095) 422 61; The Leenane Hotel, www.leenanehotel.com

32 Strände zum Aalen – Clare Island

Heimat der Alpenkrähen

Am Eingang zur Clew Bay liegt Clare Island, die größte der bewohnten Inseln vor Westport. Sie hat mit Mount Knockmore die höchste Erhebung zu bieten, aber auch einige Sandstrände, an denen man im Sommer relativ gefahrlos in die Fluten steigen kann. Zudem ist sie ein Rückzugsgebiet der seltenen Alpenkrähen.

Der Leuchtturm von Clare Island thront auf den Klippen, im Hintergrund taucht Achill Island aus den Fluten auf (rechts oben und unten). Das Grab der berüchtigten Piratin Grace O'Malley (rechts unten).

Auf der 16 Quadratkilometer großen und fünf Kilometer vom Festland entfernten Insel Clare Island leben heute etwa 130 Menschen, selbst eine Schulklasse gibt es noch. Die Insel ist seit 5000 Jahren bewohnt, entsprechend übersät ist sie auch mit 45 *fulachta fiadh,* Kochstellen aus der Bronzezeit und Menhiren, deren Überreste einem heute noch auf jeder Wanderung über die Insel begegnen. Genauso wie man auf Clare Island die einst von Afghanistan bis Westeuropa weitverbreitete Alpenkrähe *Pyrrhocorax pyrrhocorax* beobachten kann, eine bedrohte Singvogelart aus der Familie der Rabenvögel, von der es im Alpenraum gerade noch 40 Brutpaare gibt. Mit ihren langen roten Schnäbeln und Krallen durchstöbern sie die felsigen Klippen von Clare Island und finden hier offenbar genug Würmer, Insekten und Schnecken, um sich heimisch zu fühlen. So heimisch, wie es Grace O'Malley auf Clare Island war. Die gefürchtete Piratenkönigin hatte hier ihren Stützpunkt und überfiel jeden, der unvorsichtig genug war, sich den Gewässern der irischen Westküste zu nähern.

Mittelalterliche Wandmalereien

Einer der schönsten Plätze auf der Insel ist Clare Abbey, eine Zisterzienserabtei aus dem

15. Jahrhundert. Unter der Grabplatte mit der Inschrift »Invincible on land and on sea« – »Unbesiegbar zu Wasser und zu Lande« – soll Grace O'Malley begraben liegen, die sagenumwobene Freibeuterin, beerdigt im Kloster. Die spätgotische Kirche wurde in den letzten Jahren aufwendig restauriert, meisterhaft in diesem Rahmen vor allem auch die Rettung der mittelalterlichen Fresken auf Gewölben und Wänden der Apsis, die zu den besterhaltenen und kunstgeschichtlich bedeutendsten Schätzen Irlands gehören. Man ist überrascht von der Vielfalt der Farben und Darstellungen. So findet man Spiegelbilder des gesellschaftlichen Lebens mit Jagdszenen, Rittern in Kettenhemden und Reitern hoch zu Ross genauso wie biblische Szenen, mystische Drachengestalten und Harfenspieler, Fischer und Bogenschützen. Eine Piratenkönigin ist allerdings nicht auszumachen.

Wandern am Knockmore Mountain

Clare Island ist bis heute ein unberührtes Urlaubsparadies geblieben. Jede Form von Massentourismus hat hier wenig Chancen, Fuß zu fassen, denn außer dem Bay View Hotel und O'Grady's Guesthouse gibt es nur einige wenige Bed & Breakfast-Unterkünfte. Dafür finden die Besucher aber umso mehr unberührte Natur, die Gelegenheit zu herrlichen Spaziergängen und Wanderungen bietet. Dabei dreht sich fast alles um den 461 Meter hohen Mount Knockmore, den man von allen Seiten aus erwandern kann und dabei immer neue faszinierende Panoramablicke erlebt, die sprachlos machen. Ob hinüber zum Croagh Patrick, nach Achill Island oder Inishturk, wahrscheinlich waren die Besatzungen aller Schiffe hier so mit dem Bestaunen der wildromantischen Bilderbuchlandschaft beschäftigt, dass sie den Angriff der wilden Grace erst viel zu spät bemerkt haben.

Diese soll übrigens wenig Rücksicht darauf genommen haben, welche Nation da gerade vorbeischipperte, die Hauptsache war reichlich Beute. Einzig der englischen Königin Elisabeth I. musste sie sich geschlagen geben, als sie im Jahr 1593 nach London reiste, um ihren Sohn aus der Gefangenschaft zu erlösen. Von da an verpflichtete sie sich, als Gegenleistung keine englischen Schiffe mehr zu kapern.

KAHLKÖPFIGE GRAZIE

Der Reichtum an Geschichten zu »Bald Grace«, zur »kahlköpfigen Schönheit«, wie Grace O'Malley (1530–1603) bereits in ihrer Kindheit getauft wurde, ist so groß wie die Anzahl der Schafe, die auf Clare grasen. Den Spitznamen bekam sie, weil sie sich als kleines Mädchen die Haare abschnitt, um auf dem Schiff ihres Vaters zeigen zu können, dass sie besser navigieren konnte als ihre Brüder – als Mädchen wäre sie nicht auf das Boot gelassen worden. Keine andere Frau wird von den Iren noch heute so verehrt wie die »Pirate Queen«. Wenig graziös ging sie allerdings nicht nur mit ihren Opfern um, auch ihre Ehegatten mussten vor ihr auf der Hut sein. Ihren zweiten Mann jagte sie schon nach dem ersten Jahr zum Teufel. Das erlaubte ihr das damalige keltische Recht. Die Ländereien durfte sie trotzdem behalten. Mit 20 Schiffen und 6000 Mann Besatzung beherrschte sie den größten Teil der irischen Westküste.

WEITERE INFORMATIONEN

Clare Island Tourism Committee, Community Centre, Westport, Tel. (098) 265 25, www.clareisland.ie,
Granuaile Visitor Centre, Louisburgh, County Mayo, Tel. (098) 663 41, www.louisburgh.com
Websites: www.omalleyferries.com, www.clareislandferry.com

Iren sind gläubige Menschen: Eine Wallfahrt mit oder ohne Esel (rechts oben) auf den Croagh Patrick zu jeder Jahreszeit (oben und rechts unten) gehört zum religiösen Leben auf der Insel einfach dazu.

33 Ziel vieler Füße – Croagh Patrick

Irlands heiliger Berg

Er steht so erhaben in der Landschaft, einen ehrfurchtsvolleren Platz am Meer hätte man für den irischen Wallfahrtsort Nummer eins kaum finden können. Der 765 Meter hohe Croagh Patrick, der manchem wie ein Vulkan erscheint, steht stolz und stumm und majestätisch da und nimmt das jährliche Pilgerwochenende gelassen hin.

Es gibt einige Berge im Westen Irlands, die wie der Croagh Patrick aus präkambrischem Quarzit bestehen, aber keiner, weder der Errigal in Donegal noch der Slievemore auf Achill Island weisen eine so vollkommene Kegelform auf wie der heilige Berg der Iren. Bei Sonnenschein reflektiert er das Licht nach allen Seiten, dann geht von ihm eine magische Kraft aus, die viele Gläubige noch mehr mit dem einst hier ansässigen keltischen Sonnengott Lugh in Verbindung bringen als mit dem Ergebnis geothermischer Prozesse.

Die Legende

Der Überlieferung nach verbrachte Patrick im Jahr 441 hier oben auf dem Berg über 40 Tage und Nächte fastend, bedrängt von bösen Geistern, doch er schlug sie alle in die Flucht. Nur ein Ungeheuer in Schlangengestalt, Caoranach, widerstand ihm, bis der heilige Patrick einen Fluch aussprach und von jenem Tag an alle Schlangen aus Irland verschwunden waren. Der Pfad zum Gipfel ist noch heute genau jener, den die heidnischen Könige von Connaught auf den Gipfel hinaufpilgerten. Die meisten Pilger starten am Campbell's Pub in Murrisk den dreistündigen Anstieg, die größten Büßer aber beginnen schon am Patrick's Causeway in der 40 Kilometer entfernten Ballintubber Abbey und klettern den steilen Abhang, The Reek genannt, barfuß hinauf.

Der Pilgerweg

Die Füße schmerzen, die Knie sind wund gescheuert, der Atem stockt im kalt beißenden Nebel, doch mit gefalteten Händen und festem Willen im Blick nach vorne gibt keiner auf. Zu Tausenden quälen sich die Pilger am letzten Sonntag im Juli, darunter erstaunlich viele junge Leute und mancher auf Knien, hinauf zum Gipfel. »Mit den Knien beten«, nennen das die gläubigen Pilger, die dann, am Gipfel angekommen, siebenmal im Uhrzeigersinn die Steinmale im Lauf der Sonne umrunden. »Christus vor mir, Christus über mir, Christus neben mir«, lautet dabei ihr geflüstertes Gebet. Archaischer Glaube, keltisch-heidnische Tradition und tiefe Demut, eine in unserer Zeit immer weniger anzutreffende Geisteshaltung, gehen hier am Croagh Patrick eine faszinierende Symbiose ein.

Steinreihe nach Caher

Aber es gibt ganz in der Nähe noch einen weiteren mystischen Ort, der mit dem Croagh Patrick, der alten Kirche von Kilgeever und der Insel Caher in Verbindung gebracht wird. Am Strand von Sruhir, etwas nordwestlich von Killadoon, trifft man auf eine Reihe einzelner Steinkolosse, die exakt auf die Linie zwischen dem Berg und der Insel ausgerichtet sind. Das nur drei Kilometer östlich von Louisburgh gelegene Kilgeever weist noch eine weitere magische Stätte auf: die heilige Quelle Tobar na Ri, was so viel bedeutet wie »Quelle des Königs«. Und auch der Name Caher Island passt ins Bild, denn der gälische Name Cathair na Naomh bedeutet »Stadt der Heiligen«. Auf der seit über 100 Jahren unbewohnten Insel gibt es Reste eines frühchristlichen Klosters mit Mönchsklausen aus dem 7. Jahrhundert. Ein Grabstein in der Nähe trägt die Inschrift »Leaba Padraig«, das bedeutet »Patricks Bett«. Neben dem ehemaligen Kloster beginnt der Überlieferung nach die »Straße der Heiligen«, die von der Insel über das Meer zum Croagh Patrick führt. Auch Caher ist seit ewigen Zeiten ein Wallfahrtsort, der immer Mitte August angesteuert wird. Damit wird seit jeher die große Pilgerreise zum Croagh Patrick abgeschlossen. Setzt aber ein neuzeitlicher Pilger den Fuß auf Caher Island, sollte er kein Erinnerungssteinchen mitnehmen, sonst wird er der Legende nach von ewigem Unglück verfolgt.

WALLFAHRTSORTE UND HEILIGE BRUNNEN

Kein anderes Land in Europa hat einen so starken Volksglauben und so viele heilige Stätten wie Irland. An die 3000 heilige Brunnen werden gezählt, die meisten sind ausgeschildert und werden regelmäßig besucht. St. Declan's Well in Armore, ein Brunnen bei Tobernalt am Lough Gill im County Sligo, die heilige Quelle Tobar na mBan Naoimh oberhalb des Hafens von Teelin, St. Brigid's Well in Kildare, Colmkille's Well in Glencolumbkille ... Die Reihe lässt sich problemlos fortsetzen. Gemeinsam haben sie alle eines: Sie gehören zum Leben der Iren dazu, unabhängig davon, wie gläubig man nun ist. Irland wurde ab dem 5. Jahrhundert christianisiert, seit dem 12. Jahrhundert ist eine noch heute bedeutende Pilgerfahrt zum St. Patrick's Purgatory mitten im Lough Derg belegt. Auch hier kämpfte der heilige Patrick der Überlieferung nach mit dem Teufel; noch heute zieht es im Sommer Tausende Gläubige zum Station Island, um hier drei Tage mit Fasten, Beten und Nachtwachen zu verbringen.

WEITERE INFORMATIONEN

Croagh Patrick Information Centre, Murrisk, Tel. (098) 641 14, www.museumsofmayo.com
Lough Derg, www.loughderg.org

Heineken
RAGHTY LOUNGE
Bed & Breakfast
BED & BREAKFAST
DUNNINGS
Cyberpub
BED & BREAKFAST
BAR & RESTAURANT
STEAKS
Pizzas
Mussels
Oysters
Salads
Irish Coffee
P DUNNING

Der Atlantic Drive macht seinem Namen alle Ehre: Die Gischt schießt schon mal übers Autodach (oben und rechts oben). Auch Achill Island strahlt zur Rhododendrenblüte (rechts unten).

36 Einfach schön – Achill Island

Pirate Queen und Dichterkönig

An Heinrich Böll kommt auf Achill Island keiner vorbei. Das Haus in Doogort, in dem der Literaturnobelpreisträger sein *Irisches Tagebuch* schrieb, ist zum Mekka deutscher Kulturreisender geworden und hat Achill Island so bekannt gemacht, wie keine Marketingstrategie es je vermocht hätte. Die Insel ist aber auch ohne das *Tagebuch* und Hochglanzbroschüren im Rucksack eine Reise wert.

Achill Island ist Irlands größte Insel, 20 Kilometer lang und 19 Kilometer breit, 3000 Menschen leben auf Achill Island. In den Sommermonaten wächst die Bevölkerung um ein Vielfaches an, denn die Insel hat sich inzwischen zu einem weitgehend noch unberührten Naturparadies mit einer angemessenen touristischen Infrastruktur entwickelt.

Panoramafahrt auf dem Atlantic Drive

Die gesamte Länge der Küstenlinie beträgt rund 130 Kilometer, große Teile davon sind nur zu Fuß zu erreichen, beeindruckende Aussichten hat man aber auch auf der Panoramastraße des Atlantic Drive. Die Strecke führt von Achill Sound aus zunächst nach Süden zum Ort Cloghmore, an dessen Südspitze der Wehrturm Kildavnet Castle über die Buchtzufahrt wacht. Der gehörte natürlich Grace O'Malley, der gefürchteten Piratenkönigin. Weiter geht es in Richtung Nordwesten nach Dooega und ins charmante kleine Keel mit seinem kilometerlangen Strand, an den sich die Minaun Cliffs anschließen. Über Dooagh erreicht man dann die Keem Bay am Westende der Insel und wähnt sich am Ende der Welt. Mächtige Klippen umrahmen die Bucht, Seevögel ziehen gemächlich ihre Bahnen über der Bucht, kein Laut, kein Mensch, kein Getöse. Einst fingen die Fischer hier in der Bucht Haie, heute strahlt Keem Bay

nur noch Ruhe und Weltabgewandtheit aus. Über Doogort – das Heinrich Böll Cottage ist zum Gästehaus für internationale Künstler geworden – The Valley und Bunacurry geht es wieder zurück durch eine herbe Moor- und Heidelandschaft nach Achill Sound.

Wandern im Keem Valley

Das Auto stehen lassen für eine Wanderung ist auf der ganzen Insel kein Problem, überall gibt es genügend Pfade und Wege durch die urwüchsige Landschaft. Eine besonders schöne Strecke, geeignet sowohl für Wanderenthusiasten wie für Anfänger, ist der Keem Valley Walk. Vom Parkplatz am Keem Beach aus wendet sich der Weg nach Westen in einer ersten Steigung, für deren nicht ganz einfache Bewältigung man aber oben auf den Klippen mit einer wunderbaren Weitsicht belohnt wird. Zu Füßen der Wanderer liegt nun die Bucht, weiter im Westen streckt mit Achill Head die äußerste Spitze der Insel ihre Landzunge in den Atlantik, und im Norden erscheinen die Berggipfel des Croaghaun, Slievemore und die Klippen von Minaun. Am Moyteoge Head können Interessierte 200 Meter über dem Meer ein altes Küstenwache-Haus besichtigen, bevor man sich wieder Richtung Nordosten wendet, den Klippen folgt und bei Bunowna einen kleinen Fluss überquert, um dem Tallauf auf 250 Metern Höhe am Hang zu folgen. Dem Flusslauf folgend erreicht man nach drei Stunden wieder den Ausgangspunkt dieser wunderbaren Wanderstrecke, die immer wieder mit abwechslungsreichen Landschaftspanoramen überrascht.

Verlassenes Dorf am Slievemore

Wie hart das Leben zuweilen auch auf Achill Island war, kann man am Fuße des Slievemore Mountains an der Nordküste erfahren. Die verlassenen Überreste eines Dorfes, Deserted Village genannt, von etwa 80 Häusern, die parallel zueinander angeordnet sind, ergeben eine gespenstische Szene und machen betroffen. Bis ins 19. Jahrhundert lebte hier ein Teil der Bewohner ständig im Dorf, während die anderen mit den Viehherden über die Insel zogen. Als 1845 die große Hungersnot ausbrach, wurden die Menschen gezwungen, direkt ans Meer zu ziehen, um dort mit dem Fischfang überleben zu können. So wird das Slievemore Deserted Village Jahr für Jahr immer mehr von Wind und Wetter abgetragen, doch verlassen ist es nicht mehr. Durch die eindrucksvolle Schilderung des Dorfes in Heinrich Bölls *Tagebuch* werden inzwischen Tausende Besucher jedes Jahr hierhergelockt.

TOTENZUG GREAT WESTERN

Der ehemalige Bahnhof von Achill Sound, dem Ort an der Brücke zum Festland, beherbergt heute ein einfaches Hotel. Die Eisenbahnlinie von Westport nach Achill Island stand allerdings unter keinem guten Stern. Im Jahr 1894 wurde die Strecke der Great Western Railway Westport – Newport bis Achill Sound verlängert, ein großes Ereignis für die Insel, aber auch ein trauriges, denn es sollte sich eine alte Prophezeiung bewahrheiten. Der Dichter und Prophet Brian Rua O'Cearbhain hatte im 17. Jahrhundert eine Vision, dass »Karren mit Eisenrädern« Leichname auf ihrer ersten und letzten Reise nach Achill Sound transportieren würden. Und tatsächlich, der erste Zug im Jahr 1894 auf dieser Strecke hatte 32 ertrunkene Männer an Bord, deren Boot in der Clew Bay gekentert war. Und 43 Jahre später, die Bahnlinie war längst stillgelegt, wurde sie ein allerletztes Mal in Betrieb genommen. Zehn Wanderarbeiter, die im schottischen Kirkintilloch Kartoffeln ernteten und bei einem Großbrand in ihren Hütten umkamen, wurden im Beerdigungszug zurück nach Achill Island gebracht.

WEITERE INFORMATIONEN

Achill Tourism, Davitt Quarter, Achill Sound, Achill Island, County Mayo, Tel. (098) 20705, www.achilltourism.com

37 Moor und mehr – Belmullet, Mayos Moore

Melancholisches Moorland am Meer

Es gibt an Irlands Westküste einige Inseln und Landstriche, die einem wie das Ende der Welt vorkommen – zumindest der europäischen Welt. Bis man der Mullet-Halbinsel im County Mayo begegnet. Dort haben Sie es tatsächlich gefunden, das Ende und den Anfang von Raum und Zeit.

Auf amphibische Landstriche trifft man in der Gegend von Belmullet (unten). Das Torfstechen gehört in Mayo zu den gelebten Traditionen, der Kamin muss rauchen (rechts oben). Céide Fields mutet an wie das Gesicht eines anderen Planeten (rechts unten).

Auch der Nordwesten Mayos mit seiner Irisch sprechenden Gemeinschaft ist ein *Gaeltacht*-Gebiet. Die Region ist für ihre melancholischen Landschaften bekannt, Fischerei und Landwirtschaft sind hier die größten Erwerbszweige. Ein idealer Ort, um geräucherten wilden Lachs zu kosten, Spaziergänge über lange Sandstrände und durch einsame Moore zu unternehmen oder auf einem der Fischerboote zum Hochseeangeln hinauszufahren. Zwischen Lough Conn und der Mullet Peninsula scheint es keinen Baum und keinen Strauch zu geben, nur endloses, flaches Moorland, in dem die Sehnsucht nach Ruhe und Frieden zu Hause ist.

Rastplatz der Grönland-Gänse

Im November 1998 wurde östlich des Marktfleckens Ballycroy zwischen Mulranny und Bangor Irlands sechster Nationalpark eröffnet, seit dem Sommer 2009 gibt es auch ein neues Besucherzentrum. Der Ballycroy-Nationalpark umfasst 11 000 Hektar Moorland und die Nephin-Beg-Gebirgskette, darunter den 721 Meter hohen Slieve Carr, den höchsten Berg der Region. Dort oben liegen auch die einsamen Bergseen der Scardaun Loughs, durch die Täler schlängelt sich der Owenduff River zum Meer. In eines der letzten intakten, unberührten Moor- und Sumpf-Ökosysteme Europas haben sich seltene

Tierarten wie Otter, verschiedene Zugvögel, Grönland-Gänse und botanische Raritäten wie der Moor-Steinbrech zurückgezogen. Kaum vorstellbar, dass ein großer Energieweltkonzern hier in der Nähe die größte Gasraffinerie Europas zu bauen gedenkt, in der das vor der Küste geförderte und mit Pipelines an Land gebrachte Gas weiterverarbeitet werden soll. Daher ist es in der so einsamen, verlassenen Gegend im Nordwesten Mayos auch in letzter Zeit etwas unruhiger geworden, weil sich das die Menschen hier nicht gefallen lassen wollen. Weiter zur Mullet-Halbinsel führt der Weg über Bangor am Owenmore-Fluss, das Dorf ist Ausgangspunkt des unter Wanderern beliebten Bangor Trail, der bis nach Newport führt.

Einsame Mullet-Halbinsel

Am Eingang zur 30 Kilometer langen Halbinsel, die sich wie ein gekrümmter Finger um die Küste legt, wartet Belmullet auf Gäste. Der 900 Einwohner zählende Ort wurde 1715 von Sir Arthur Shaen gegründet. Zur Entwässerung des Moores ließ er einen Kanal anlegen, durch den auch kleine Boote zwischen der Blacksod und der Broadhaven Bay verkehren konnten. Anfang des 19. Jahrhunderts übernahm William Henry Carter einen großen Teil des Landbesitzes. Unter seiner Verwaltung wurden die Straße nach Castelbar angelegt und ein Pier für Schiffe bis 100 Bruttoregistertonnen errichtet. Das gab der Stadtentwicklung natürlich einen Schub, heute diskutiert man auch hier die Auswirkungen des Raffinerieprojekts. Von Belmullet zieht es die Besucher gleich weiter zu den windgeschützten Stränden an der Ostseite der Mullet-Halbinsel. Annagh Bay, Elly Bay und Mullaghroe Beach halten jeden Vergleich mit den Traumstränden der Welt aus, sind dabei so abgeschieden und unberührt, wie man es sich nur wünschen kann. Zudem wandert man hier über eine der ältesten geologischen Formationen Irlands, die weiß- und rosafarbenen Granitfelsen entstanden vor einer Milliarde Jahren. Natürlich gibt es auch hier ein keltisches Fort zu sehen, und vom Blacksod Point aus kann man Bootsausflüge zu den unbewohnten Inishkea Islands unternehmen. Auf dem Seeweg dorthin begleiten einen dann Robben und Delfine, selbst Wale wurden hier schon gesichtet.

DIE STEINZEIT LEBT IN CÉIDE FIELDS

Ist hier ein Ufo gelandet? Der erste Blick auf das pyramidenförmige Besucherzentrum auf der kleinen Anhöhe lässt solche Gedanken aufkommen, und wer weiß schon, ob hier nicht vor langer Zeit bereits Außerirdische am Werk waren. Inmitten der einsamen, archaischen Moorlandschaften im Norden Mayos breitet sich auf einer Fläche von 15 Quadratkilometern der größte zusammenhängende Steinzeitfundort der Welt aus: Céide Fields. Dabei ist von der Anlage erst ein Bruchteil freigelegt, es warten noch weitere Steinhäuser, Grabstätten und Feldumfriedungen darauf, entdeckt zu werden. Auf ein Alter von stolzen 6000 Jahren wird die Anlage datiert, bedeckt von einer Schicht Moorboden, die eine einzigartige Vegetation hat entstehen lassen. In der ausgezeichneten Ausstellung des Besucherzentrums wird das Leben der einst hier beheimateten Gemeinschaft mit hoch entwickelten Agrarsystemen deutlich, außerdem werden die Entstehung des Moores und die vorzeitlichen Klimaveränderungen erklärt.

WEITERE INFORMATIONEN

Visit Belmullet, Tel. (097) 204 94, www.visitbelmullet.ie
Céide Fields, www.ceidefields.com
Websites: www.mayo-ireland.ie
www.wildnephinnationalpark.ie

Vom Berg Knocknarea aus überblickt man die gesamte Bucht von Sligo (oben). Seine Werke haben ihn zum Nationaldichter gemacht: den unsterblichen William Butler Yeats (rechts).

38 Großes Erbe – Yeats Country, County Sligo

Yeats, arts and more …

Die Grafschaft Sligo war für den Literaturnobelpreisträger William Butler Yeats (1865–1939) Seelenheimat und Inspiration zugleich. In Drumcliff wurde er begraben. Auf seinem Grabstein steht: »Cast a cold Eye On Life, on Death. Horseman, pass by.« Übersetzt bedeutet das: »Wirf einen kalten Blick auf Leben und Tod. Reiter, zieh weiter.« Aber bitte nicht, ohne die magische Schönheit im Yeats Country Sligo gesehen zu haben!

Jetzt haben sie mir mein altes Irland geklaut«, schüttelt Pat aus Chicago den Kopf. Traurig lehnt er am Tresen des »McLynn's« in Sligo, eines jener traditionellen Pubs, in denen der Wirt noch zur Gitarre greift und irische Folksongs schmettert. Warum? Ist doch alles wie immer, das wechselhafte Wetter, das Grün, das Meer, die Seen und Berge, die Jigs und Reels, der Schlabbertoast am Morgen, das Sommersprossenlächeln tagsüber und das dunkle Getränk am Abend. Was also ist verschwunden? Sein Blick ist fast so trübe wie der Pint vor ihm, melancholisch schaut er ins Leere: »Früher konnte man hier im Nordwesten ungestört die Küste entlangziehen, heute bauen sie vierspurige Straßen. Der keltische Tiger hat noch nicht einmal vor den schönen alten, engen Landstraßen haltgemacht. Vor nicht allzu langer Zeit konnte man auf den mit Hecken und Fuchsien gesäumten Wegen noch ein Schwätzchen halten, wenn einer entgegenkam. Heute braust alles vorbei.« Ganz so schlimm ist es in Sligo sicher noch nicht, aber in der Tat, das Straßennetz wird auch im Westen Irlands ausgebaut und verbessert. An manchen Ecken, seien wir ehrlich, war es, Schwätzchenromantik hin oder her, auch an der Zeit.

Vitale Sligo Town

Schon die Lage ist ein Gedicht: Sligo Town, von den zahlreichen Hügeln aus betrachtet,

BANK

Etwa acht Kilometer lang und zwei Kilometer breit ist der Lough Gill östlich von Sligo (oben). Außen Burg, innen Herrenhaus: Parke's Castle am Lough Gill (unten). Kegelförmig erhebt sich der Ben Bulben (rechts oben). In dieser Kate bei Gorteen lebte einst Michael Coleman (rechts unten).

schmiegt sich an die Mündung des Garavogue River wie ein Apfel um seinen Kern, gespeist im Westen vom Atlantik und im Osten vom Lough Gill. Die 20 000-Einwohner-Stadt steht ganz im Zeichen der Yeats-Brüder, rund um die Familie hat sich eine Begeisterung entwickelt, die bei jeder Yeats International Summer School, inzwischen auch bei der Yeats Winter School, und dem Kunstfestival zu Hochform aufläuft. Als Zugpferd für viele weitere Aktivitäten hat sich Sligo zur heimlichen Kulturhauptstadt an der Westküste etabliert. Dazu tragen auch das äußerst vital erscheinende Stadtbild mit seinen alten Steinbrücken und historischen Gebäuden wie auch die moderne Fußgängerzone, Shoppingtempel aus Glas, unzählige Pubs und Restaurants mit internationalem Ambiente bei. Die Verbindung von Jung und Alt gelingt hier spielend, besonders gut zu sehen an der Model Arts and Niland Gallery. Hinter der ehrwürdigen Fassade des ehemaligen Gerichtsgebäudes taucht ein lichtdurchfluteter Ausstellungsraum auf mit Gemälden von Jack und John Yeats und allen großen zeitgenössischen Malern Irlands. Im Yeats Memorial Building an der Hyde Bridge, im Sligo County Museum, vor der Ulster Bank in Metall gegossen, überall sind William Butler und die Yeats-Familie präsent.

Ruhestätte Drumcliff

Auch wenn der große Dichter die meiste Zeit seines Lebens in Dublin, London und in Europa auf dem Kontinent verbracht hat und in Südfrankreich verstarb, er blieb stets mit Sligo verbunden. Die Familie seiner Mutter war eine alteingesessene Kaufmannsfamilie aus Sligo, sein Großvater war Pfarrer im verträumten Drumcliff, wenige Kilometer nördlich von Sligo Town. Als Kind verbrachte er die Sommermonate in Sligo, die Landschaft mit ihren Hügeln, Seen und Heiden und die darüber hinwegziehenden Wolkenformationen haben sich für immer in seine Gedankenwelt gegraben. So wundert es nicht, dass er sich in seinem Testament ein Grab in Drumcliff, auf dem Friedhof des Opas, gewünscht hat. Heute ein Pilgerort für alle Yeatsianer. Doch er war nicht unumstritten, weil er beiden christlichen Kirchen kritisch gegenüberstand und mehr dem keltischen Erbe und dem Naturglauben der einfachen Bauern vertraute als der modernen Wissenschaft. Doch jedes irische Schulkind kennt Verse wie diese aus *The Wind Among the Reeds:*
»Doch weil ich arm bin, hab ich nur die Träume;
Die Träume breit ich' aus vor deinen Füßen:
Tritt leicht darauf, du trittst auf meine Träume.«
Er war Mitbegründer des Irish Literary Theatre und Direktor des Abbey Theatre in Dublin, seine Gedichte werden unsterblich bleiben.

Romantischer Glencar Lake

So gibt es kaum einen Ort in Sligo, der sich nicht in einem seiner Werke wiederfindet. Glencar Lake und seinen Wasserfall hat William Butler Yeats in seinem Gedicht *The Stolen Child* unsterblich gemacht: »Come away, o human child! To the waters and the wild …« Am Kings Mountain öffnet sich das wildromantische Glencar-Tal, sanft-grüne Wiesen breiten sich aus, hin zu einem still und bewegungslos daliegenden See. Von umliegenden Bergen stürzen Wasserfälle ins Tal, ab und zu ziehen Greifvögel in der Höhe ihre Bahn, die Bäche murmeln, und der Wind raschelt im Laub. Ein mystischer Ort, den Yeats oft besucht hat und von dem er sich zu neuen Gedichten inspirieren ließ. Genauso wie am Ben Bulben, dem Tafelberg bei Drumcliff, der an seinen abfallenden Seiten von Bächen durchzogen ist, die wie Tränen von seinem Hochplateau hinabfließen.

Geschichten um Lough Gill

Auf dem Grund des Lough Gill liegt der Legende nach eine versunkene Stadt. Dazu erzählen sich die Einheimischen manche Geschichten, darunter auch solche, mit denen sie die Besucher auf charmant-spitzbübische Art auf den Arm nehmen. Einst soll hier nämlich, versichert uns Sean am Dooney Rock am Südufer des Sees, eine silberne Kirchenglocke von Sligo Abbey versenkt worden sein. Und all jene, die reinen Gewissens und ohne Sünde sind, können sie an so schönen Tagen wie diesem läuten hören. Und, hörst du was? Aber Vorsicht mit der Antwort, wenn du lügst, steigt das Ungeheuer von Lough Gill aus den Fluten und nimmt dich mit in die Tiefe. Schon komisch, irgendwie, dort hinten, ganz leise in der Ferne … das hört sich doch an wie Geläut. Ganz so weit hergeholt ist die Geschichte nicht, denn Sligo Abbey stand unter keinem guten Stern. Im 15. Jahrhundert brannte die Dominikanerabtei erstmals ab, später musste der Altar vor Räubern in Sicherheit gebracht werden, das endgültige Aus kam dann im Jahr 1641, als sie in Brand gesteckt und ihre Steine geplündert wurden. Da kann es schon zutreffen, dass am Boden des verwunschenen Sees eine Glocke liegt.

DER TEUFELSGEIGER AUS GORTEEN

Der Süden Sligos hat eine große Anzahl der besten Musiker Irlands wie zum Beispiel James Morrison und Paddy Killoran hervorgebracht. Einer aber, der allen die Krone aufsetzt, war Michael Coleman (1891–1945). Der größte irische Fiddler aller Zeiten war mit seinem begnadeten Geigenspiel seiner Zeit weit voraus, ein Prophet im eigenen Land, der als »Teufelsgeiger« in die Musikgeschichte Irlands einging. Allerdings musste er nach Amerika auswandern, um von dort seine Auffassung von irischer Musik in Form von Schallplatten, die in den 1920er-Jahren in New York aufgenommen wurden, wieder zurück auf die Insel zu bringen. Heute ist das Coleman Music Centre in Gorteen zur Pilgerstätte all jener geworden, die der puren, unverfälschten irischen Musik huldigen. Selbst die heutigen Protagonisten der Irish Folk Music berufen sich auf Michael Coleman. Im Coleman Music Centre gibt es Musik- und Tanzabende und Kurse für alle, die sich den irischen Musiktraditionen nähern wollen.

WEITERE INFORMATIONEN

Sligo Tourist Office, O'Connell Street, Sligo, Tel. (071) 9161201, www.sligotourism.ie
Coleman Irish Music Centre www.colemanirishmusic.com
Websites: www.irelandnorthwest.ie, www.discoversligo.com

Durch das County Sligo ziehen sich die sanften Hügelketten Bricklieve und Ox Mountains (oben). Die magisch anmutende Landschaft wird durchzogen von vielen noch unentdeckten Ganggräbern (rechts unten). Auch die Esel fühlen sich hier wohl (rechts oben).

39 Esel und Gräber – Carrowkeel

Ruhestätten für Mensch und Tier

Im südlichen Sligo liegt in den Bricklieve Mountains eines der bedeutendsten Megalithgräberfelder Europas: Carrowkeel. Die Entstehung dieses Komplexes wird auf den Zeitraum 3000 bis 2000 vor Christus datiert, der Besiedlungszeitraum dauerte bis etwa 1500 vor Christus. Solch ein Alter erreichen die Esel von Sue Paling nicht, einen angenehmen Lebensabend haben die auf der Insel einst so weitverbreiteten Nutztiere bei ihr trotzdem.

Man findet in Sligo immer wieder stumme, steinerne Zeugnisse der Megalithkultur, die 4000 Jahre und älter sind. Manche wurden 1000 Jahre früher errichtet als die Ganggräber in der Boyneschleife. Nahm vom südlichen Sligo aus vielleicht sogar die Megalithkultur in Irland ihren Lauf, liegen hier vielleicht die Wurzeln der mittleren Steinzeit verborgen? Die Wissenschaft kann mit ihren modernen Methoden inzwischen viel Licht ins Dunkel bringen, doch es werden immer Fragen offen bleiben, auf die bisher nur die Mythologie eine Antwort weiß. Oder einer der älteren Einheimischen, die noch die alten Geschichten kennen …

ABC der Ganggräber

Schon die Ausgrabungsgeschichte gleicht einem Abenteuer. Die 14 Hügelgräber und die neolithische Siedlung Carrowkeel wurden im Jahr 1911 entdeckt. Man hatte es, warum auch immer, sehr eilig mit der Freilegung, denn sie dauerte nur zwölf Tage. Unmöglich? Nichts ist unmöglich, schon gar nicht in Irland. Man bediente sich nämlich eines durchschlagkräftigen Hilfsmittels: Dynamit. Immerhin machte man sich noch die Mühe, den Gräbern Buchstaben zuzuordnen, die sich bis heute erhalten haben. Zutage trat dabei so allerlei Prähistorisches: Keramikgefäße, Anhänger, Steinperlen und Knochennadeln, die auf eine hoch entwickelte

Die Steinzeit feiert Auferstehung rund um den Lough Arrow (oben). Die Megalith- und Ganggräber bei Carrowkeel wirken beim Sonnenaufgang noch mystischer (unten). Am Lough Arrow kann man über geschichtsträchtiges Gelände wandern (rechts oben). Belleek Castle (Detail rechts unten) wurde zu einem charmanten Landhotel ausgebaut.

Gesellschaft schließen lassen, die hier siedelte. Die Grabhügel und Kammern haben einen imposanten Durchmesser von bis zu 30 Metern, einige sind bis zu sieben Meter hoch. Sie sind bis auf einen alle rund, weisen aber im Innern unterschiedliche Strukturen auf. Es gibt ähnlich wie in Newgrange kreuzförmige Grundrisse mit einer viereckigen Lichtöffnung über dem Eingang, durch den einen Monat vor und nach der Sommersonnenwende das Licht ins Innere fällt. Auch Grab K hat eine astronomische Besonderheit zu bieten: Von hier aus gesehen geht die Sonne zum Frühjahr- und Winteranfang, dem keltischen Imbolc- und Samhainfest, genau über dem im Südwesten liegenden Croagh Patrick unter. In einer Nebenkammer von Grab K hat man auch einen Stein gefunden, der exakt der Form des Croagh Patrick entspricht. Zufall? Wer weiß. Fest steht aber, dass im Mittelalter an diesem prähistorischen Ort ungetauft gestorbene Kinder beerdigt wurden. Ob es diesem Umstand zuzuschreiben ist, dass von Carrowkeel eine so magische Kraft ausgeht, auch das wird noch eine Weile im Nebel der Geschichte verborgen bleiben.

Tor zur Unterwelt: Kesh Corran

Auch um den westlich gelegenen Nachbargipfel Kesh Corran ranken sich die Mythen. Auf der dem Dorf Kesh zugewandten Seite befinden sich mehrere Höhlen, die in der Mythologie als Tor zur Anderswelt gelten. Vom Berg Kesh aus soll die blutrünstige Kriegsgöttin Morrigan in die Schlacht gezogen sein, in einer weiteren Legende soll das Liebesheldenpaar Dermot und Grania nach jahrelanger Flucht endlich Frieden gefunden haben. Und Cormac Mac Art, das Vorbild von König Artus, wurde hier von Wölfen als Kleinkind gesäugt, erzählt eine Sage. Die meisten Geschichten rund um den Kesh Corran aber handeln von den Taten des Helden Fionn Mac Cumhaill und den Männern der Fianna, der die Feen des Berges besiegte. Der Aufstieg zum Gipfel ist recht anstrengend, oben aber wird man mit einer wunderbaren Weitsicht auf Knocknarena, Ben Bulben, Carrowkeel und die Ox Mountains belohnt. Hier oben hat man das Gefühl, zwischen Raum und Zeit, Himmel und Hölle zu schweben und die Stimmen der anderen Welt zu hören und zu spüren. Ganz in der Nähe von Cross bei Kesh kann man danach noch Cormac's Well besuchen. Hier soll der Legende nach im 3. Jahrhundert nach Christus der Hochkönig Cormac Mac Art geboren worden sein. An der Quelle gibt es einen Stein mit einer Vertiefung, die bei der Geburt entstanden sein soll, als sein Kopf den Stein berührte. Cormac Mac Art schuf

die Brehon Laws, die über Jahrhunderte Grundlage des irischen Rechts darstellten.

Würdiger Lebensabend für Esel

Wer liebt sie nicht, die störrischen Langohren? Einst waren sie in Irland in allen Ecken der Insel anzutreffen, galten als treues Nutztier, das zwar ab und zu Zicken hat, aber wer hat die nicht? Man spannte sie vor Karren, brachte den Torf mit ihnen heim, transportierte Milch und andere Güter vom Bauernhof zu den Märkten, ging sonntags mit ihnen spazieren, nur so zum Spaß, und ließ Kinder auf ihnen reiten. Die Esel gehörten einfach dazu, wie das Kleeblatt und die Harfe. Die Tiere waren darüber hinaus ohne großen Aufwand zu halten, genügsam und sanftmütig, zumindest meistens. Heute taugt der Karren ziehende Esel nur noch zum Postkartenmotiv oder zum »Wanderurlaub mit Esel«, bei dem sich das Langohr oft genug denkt, ob die Kurzohren noch alle Tassen im Schrank haben. Auf jeden Fall aber hat der irische Esel seinen Nutzwert verloren und damit auch die Zuneigung vieler. Dass es auch anders geht, beweist Sue Parling auf einer alten Farm in den Bricklieve Mountains, die sie restauriert hat. In Castlebaldwin am Nordende des Lough Arrow weist ein Schild den Weg hinauf in die Berge zum Sai Donkey Sanctuary, dem Altersheim für Esel. Gegründet 1991, um älteren, verstoßenen und kranken Eseln einen würdigen Lebensabend zu bieten, werden hier heute auch Ponys und einige Pferde gepflegt, die dank der Traktoren und der modernen Transportsysteme nicht mehr gebraucht werden. Hier werden sie tierärztlich betreut und erhalten mehr als nur ein Gnadenbrot. Inzwischen ist ein kleines Informationszentrum entstanden, kommen regelmäßig Schulklassen zu Besuch und erfreuen sich Menschen mit einer Behinderung an dem engen Kontakt mit den Tieren. Inzwischen unterstützt auch das irische Ministerium für Landwirtschaft und Ernährung diese großartige Initiative, die hauptsächlich von Spenden und Eselspatenschaften getragen wird. Es bedarf heute auch in Irland mehr denn je solch privater Initiativen, die sich um vernachlässigte, bedrohte und abgeschobene Tiere kümmern. Sue Parling hat mit ihrem Sai Donkey Sanctuary ein eindrucksvolles Zeichen gesetzt.

TRAUMSCHLOSS IN BALLINA

Wer sich auf den Weg zum Ballycroy National Park macht oder die Mullet-Halbinsel besuchen will, die übrigens von den Lesern der *Irish Times* schon zur unbekanntesten, schönsten und natürlichsten Halbinsel des Landes gewählt wurde, entdeckt wenige Kilometer nördlich des Städtchens Ballina einen kleinen Schatz: Belleek Castle. Das Schloss wurde im Jahr 1831 im Auftrag von Sir Arthur Francis Knox-Gore im neogotischen Stil erbaut und beherbergt heute nicht nur ein ausgezeichnetes Restaurant mit Hotel und Event-Location, sondern mit der Marshall Doran Collection auch eine der bedeutendsten Waffen-, Fossilien- und Antiquitätensammlungen Irlands. Unter den Exponaten befindet sich auch ein Bett, in dem einst die Piratenkönigin Grace O'Malley (1530–1603) nächtigte. Das Leben dieser faszinierenden Dame wurde sogar 2007 in einem Musical umgesetzt, *The Pirate Queen*, das in New York am Broadway lief.

WEITERE INFORMATIONEN

Carrowkeel Megalithic Cemetary, Bricklieve Mountains, Castlebaldwin, www.carrowkeel.com, www.megalithicireland.com

Sathya Sai Sanctuary Trust for Nature, Castlebaldwin, Tel. (071) 966 61 96, www.donkeys.ie

Belleek Castle, Ballina, Tel. (096) 224 00, www.belleekcastle.com

Nordküste und Nordirland

Legendäres Land im Norden

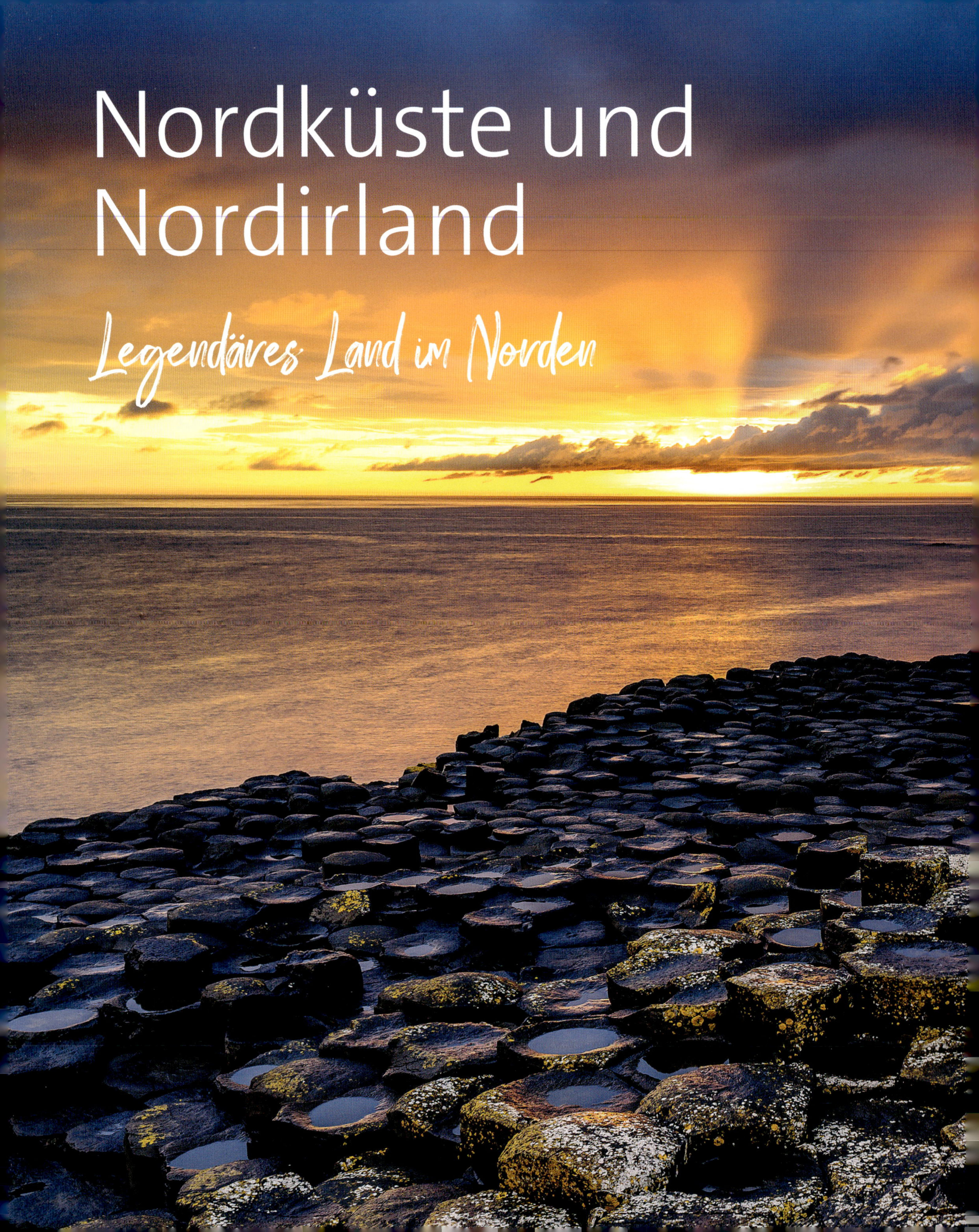

In den Wassertümpeln der Basaltsäulen am Giant's Causeway reflektieren die letzten Sonnenstrahlen (links). In Irlands ältester lizensierter Whiskey-Destillerie im County Meath wird noch mit »Brandtresoren« gearbeitet (oben). Stumme Wächter auf White Island (unten).

Die aus Südamerika stammenden Alpakas sind sehr anpassungsfähige und friedfertige Tiere, die sich selbst am Malin Head im hohen Norden Donegals wohl fühlen.

Route an der Nordküste und in Nordirland

Aufbruch in die Zukunft

Auf einer Route, die in der irischen Grafschaft Donegal beginnt und in der nordirischen Hauptstadt Belfast endet, begibt man sich auf die Spuren gälischer Traditionen, faszinierender Küstenlandschaften und einsamer Halbinseln. Man spürt die Aufbruchsstimmung trotz der Grenze, die hier keiner will.

Von den rund 500 Kilometern, die man auf dieser Route absolviert, verlaufen 310 durch Irland und etwa 190 durch Nordirland. Die Strecken im nördlichen Donegal sind häufiger geprägt von schmalen Straßen, auf denen gegenseitige Rücksichtnahme oberstes Gebot ist. Aber eine Ausweichbucht ist meistens nahe und ein freundlicher Gruß an den Gegenverkehr selbstverständlich. In Norden Irlands ist der Verkehr überschaubar, das ändert sich in **46 Londonderry** und besonders am **47 Giants Causeway,** der dank ausgeweiteter Parkplätze auch für Wohnmobile erreichbar ist. Entlang der **48 Antrim Coast** kann der Verkehr in den Sommermonaten zunehmen, dann hilft ein Besuch so charmanter Orte wie Cushendall und Larne, hier legen die Fähren aus dem schottischen Cairnryan an.

Aufwärts geht's in Killybegs

Die Grafschaft **40 Donegal** ist eine der ursprünglichsten Ecken Irlands. Das schließt die besonders ausgeprägte Liebe der Menschen zu ihrer Grafschaft und den lokalen Produkten mit ein. In Killybegs zum Beispiel kümmert man sich intensiv um die Förderung lokaler Fischer und Farmer, die ihre Meeresfrüchte, Milchprodukte, Hochprozentiges und selbst gerösteten Kaffee vor Ort anbieten und sogar exportieren: »Vor einigen Jahren haben wir entdeckt, dass der Lebensmittelsektor für Donegal großes Potenzial bietet«, sagt Michael Tunney vom Donegal County Council. Den Beweis treten dann Spitzenköche wie Brian McDermott im »Foyle Hotel«, Pauline Sugrue und ihre Kochschule The Wild Garlic Table und Sue Glackin an, die mit ihren Donegal Food Tours kulinarische Tagesausflüge durch die Grafschaft anbietet. Da kann man das eigene Fahrzeug mal stehen lassen und sich zu Farmern begeben, die einen eigenen Käse herstellen oder eine Rösterei für brasilianische Kaffeebohnen aufgebaut haben. Auch die Veredelung der hier gefangenen Fische und Meeresfrüchte bringt neue Arbeitsplätze nach Killybegs und lässt den Ort sichtlich aufleben.

Alpakas am Malin Head

Weiter im Norden, auf der **43 Inishowen-Halbinsel,** warten weitere Überraschungen. Sie heißen Chestnut, Bounce, Badger, Ollie, Patricia und Mo Jo und haben ein liebenswertes Gemüt. Auch der stramme Wind und der ein oder andere Regenschauer scheint ihnen nichts auszumachen. Am nördlichen Ende dieser Route, am Malin Head auf der Inishowen-Halbinsel, kann man auf einen Parkplatz mit großartiger Aussicht auf den Nordatlantik das Fahrzeug parken und, wenn man das vorher gebucht hat, John McGonagle und seiner Alpakaherde begegnen. Der Spaziergang mit den Tieren querfeldein über Hügel und Wiesen ist ein unvergessliches Erlebnis, das jedem die Natur noch näherbringt als es das grandiose Panorama der wilden Küstenlandschaft bereits getan hat. Geben Sie Ollie ab und zu eine Handvoll Futter, dann läuft er wie ein Hase. Wenn er dann gelegentlich in Übermut verfällt und galoppieren will, reicht eine kurze Ansprache von John, und das Tier steht kerzengerade da, wie vom Blitz getroffen, spitzt die Ohren und trabt dann langsam weiter, wie es sich gehört. John erzählt, wie außergewöhnlich lernfähig diese Tiere sind und dass sie uns Menschen perfekt verstehen, auch ohne verbale Kommunikation. Die braucht man hier auch nicht, denn die Landschaft am Malin Head ist so faszinierend, dass es einem die

Toureninfo

Start: Donegal
Ziel: Belfast
Länge: 500 Kilometer
Dauer: 8–10 Tage
Beste Reisezeit: Ganzjährig
Sehenswertes: Auch im Winter spektakuläre Küstenabschnitte auf der Inishowen-Halbinsel und der Antrim Coast.
Unterkunft: Das Foyle Hotel in Moville ist ein kleines Schatzkästchen mit hübschen Zimmern und ausgezeichnetem Restaurant. www.foylehotel.ie

Weitere Infos

Die Küstenstraße von Belfast nach Londonderry ist im Hochsommer häufiger sehr stark befahren. Wer zum Beispiel bei Cushendall links abbiegt und den Glens of Antrim und den Antrim Mountains einen Besuch abstattet, kann die Blechlawine vorbeiziehen lassen und die wunderschönen Landschaften der Täler und Berge in Ruhe genießen. Danach geht es entspannter Richtung Giant's Causeway.

Sprache verschlägt. Es gibt kaum einen Besucher, ob er nun zu Fuß, mit dem Fahrrad, per Auto, Reisebus, Wohnmobil oder Camper Van am Giant's Causeway vorbeikommt, der hier nicht Halt macht. Zu verlockend ist der Ruf des sagenumwobenen Küstenabschnitts, als dass man ihm widerstehen könnte. So geht es vielen, sehr vielen. Gerade in der Hochsaison quillt der Parkplatz über, schiebt man sich in Besucherströmen hinunter zum Meer. Man ist gut beraten, die frühen Morgenstunden oder den späteren Nachmittag als Besuchszeitpunkt zu wählen, dann ist der Andrang meist erträglich.

Irland-Romantik bei Church Hill: Die roten Rosen verleihen dem alten Cottage einen ganz eigenen Charme (oben). Über 600 Meter in die Tiefe stürzen die Klippen von Sleave League bei Teelin (rechts oben), der Wasserfall dagegen wirkt wie ein Bächlein, das den Hügel hinabfließt (rechts unten).

40 Paradies für Wanderer – Donegal

Wanderpolizist kontra Schilderwald

Wandern in Donegal ist ein ganz besonderes Erlebnis. Europas höchste Klippen, Sleave League, als letzter Punkt vor Amerika bieten dabei abwechslungsreiche Rundwanderwege und faszinierende Aussichten. Nach einem ausgiebigen Wandertag lockt Folkmusik in traditionellen Pubs wie Leo's Tavern zum Entspannen.

Der Geruch des Windes, der über die Wiesen schwingt. Die Weite der Hügellandschaften, die Geschichten von Pilgern und dem entbehrungsreichen Leben der Bauern erzählen. Das Salz des Meeres, das in der Luft liegt und das Atmen verlangsamt. Man riecht, man sieht, man atmet neu und lässt die Geschwindigkeit der modernen Welt hinter sich zurück.
Hier draußen im Nordwesten Irlands hat der keltische Tiger seine Zähne verloren. In Donegal wandern heißt, noch einmal in die Schule gehen. Eine Schule allerdings, die nicht benotet, belehrt oder bestraft, sondern eine, die durch ihr bloßes Dasein wirkt. Die auf stille Art mit der Sprache der Natur zeigt, dass es eine Welt gibt jenseits von Börsenkursen und Konsumhatz.

In den Bluestack Mountains

Zum Träumen lädt der sanfte Nieselregen nicht gerade ein, der am Startpunkt der ersten Etappe die Blicke auf den von Wolken verdüsterten Himmel verschleiert. Und zum reißenden Strom wie der Orinoko in Venezuela wird der kleine Bach am Wegesrand heute sicher auch nicht anschwellen. Aber wer in Donegal wandert, ist gut gerüstet für solche Fälle. Regenzeug gehört einfach dazu und stört auch nicht weiter, so wenig wie der erste Anstieg zur Hochebene der Bluestack

Die Sheep Dog Trials sind Geschicklichkeitsprüfungen für Hütehunde (oben). Ardara trägt den Titel Heritage Village, die Bucht (rechts oben) und der Kilclooney-Dolmen (unten) haben ihn verdient.

Mountains. Da wird einem gleich warm ums Herz, und die Beinmuskulatur kommt in Fahrt, denn der eher schmale Pfad schlängelt sich am Wald entlang durch Geröll und matschige Torftümpel, denen man besser ausweicht, wenn man sie nicht so gut kennt wie John McGrory. Als Polizist verdient er seinen Lebensunterhalt in Donegal, ein geruhsamer Job. Seine Leidenschaft gehört dem Wandern, und so bringt er den Besuchern auf handverlesenen Wanderrouten die archaische Schönheit seiner Heimat näher.

Gymnastik im Moor

Der Bluestack Way westlich von Lough Eske zieht sich auf einer Länge von insgesamt 47 Kilometern von Donegal Town über den Gebirgszug bis nach Ardara, da sind gelegentliche Lockerungsübungen durchaus willkommen. Wer gymnastisch begabt ist, folgt John auf eines der Felder, die mit ihren kleinen Torfballen-Pyramiden aussehen wie eine verlassene Mondlandschaft. Ist der richtige Platz gefunden, kann das Torfhüpfen beginnen. Mit Sack und Pack auf und nieder, hoch und runter, bis der Moorboden quietscht und sich so vollgesogen hat, dass ein vorsichtiger Abzug angebracht erscheint, wenn man nicht versinken will.
Vertieft in gälische Traditionen haben sich in Donegal, Irlands größter *Gaeltacht*-Region, auch viele Dörfer der Halbinsel bis hinaus zum Rossan Point. Hier ist Gälisch Alltagssprache, das reiche keltische Erbe lebendig, wird noch der »Wake« gefeiert. Bei Letzterem, einer speziellen Form des Übergangs von der Erde in den Himmel, wird der Davongegangene zu Hause aufgebahrt, und oft kommen aus allen Landesteilen bis zu 250 Menschen zusammen, um von ihm Abschied zu nehmen. Die engen Familienangehörigen beten die Nacht hindurch am Bett des Verstorbenen, trinken zusammen Tee, singen, tanzen, feiern und freuen sich über die *family reunion*.
Auch wenn die Zeiten vorbei sind, in denen selbst viele Iren nicht hierher in den Nordwesten reisten, weil sie die Gegend mit Nordirland und den *troubles* gleichsetzten, ist Donegal noch immer ursprünglicher und anders als der Rest der Republik. Das schließt die Beschilderung der Wanderwege mit ein: »Wir stellen jetzt immer mehr *Loop Walks* zusammen, diese Rundwanderwege führen zum großen Teil querfeldein über Land, das den Farmern gehört. Die sind damit einverstanden, solange man sich umweltbewusst verhält. Und auch mit der Wegemarkierung wollen wir eine Balance finden zwischen ausreichender Orientierung und Erhalt des einmaligen Charakters der Landschaften in Donegal. Einen Schilderwald wird es nirgendwo

geben, da setzen wir lieber auf detaillierte Karten«, sagt John. Die führen uns geradewegs in ein fast verlassenes Tal, Eglish Valley. Hier scheint die Zeit stillzustehen, ducken sich vereinzelte Höfe hinter meterhohen Fuchsienhecken, heben Schafe am Horizont ihren Kopf, als spähten die Wächter einer anderen Welt nach Eindringlingen, die es zu vertreiben gilt. Im 18. Jahrhundert lebten hier 300 Menschen, heute sind es nur noch drei Farmerfamilien.

Die höchsten Klippen Europas

Sicher, wer durch Donegal wandert, kommt an den höchsten Klippen Europas nicht vorbei. Sleave League, die »grauen Klippen«, erwandert man am besten von Teelin aus, nach sechs Kilometern bergauf und einem waghalsigen *one man path* wird man belohnt mit grandioser und windumwehter Fernsicht über die Donegal Bay hinweg auf die unendlich erscheinende Weite des Atlantiks. Danach kommt nur noch Amerika. Oder etwa der Glencolumbkille Loop Walk, der den Pilgerstationen des heiligen Columban folgt.

Heute aber nehmen wir den Weg um Lake Dunlewey und den höchsten Berg der Grafschaft, Errigal Mountain. Michael McGarrigal führt uns sicher und mit schnellem Schritt, der Finanzmakler ist einer von 20 ausgebildeten Wanderführern, die in Donegal den Gästen die schönsten Plätze zeigen. Auch ihm ist die Liebe zum Wandern ins Gesicht geschrieben, die Aussicht auf den Tagesausklang in Irlands berühmtestem Pub tut ein Übriges. Der idyllische Rundweg um den See und den kegelförmigen Berg beschwört Bilder herauf vom Land der Elfen in Mittelerde.

Ganz im Hier und Jetzt steht trotz seines fortgeschrittenen Alters Leo Brennan. Eingekehrt wird am Abend in Leo's Tavern in Meenaleck. Der Vater der Clannad-Folk-Gruppe und des Weltstars Enya steht noch selbst jeden Sonntag auf der Bühne und singt beispielsweise von den Schneeflocken, die im Winter in Donegal fallen, von seiner Liebsten, vom »bright star of the west, the land, that Patrick blessed«, und alle, Einheimische wie Besucher, die es hierher nach Donegal verschlagen hat, singen ergriffen mit. Was gibt es Schöneres nach einem erfüllenden Wandertag, als den Abend am Torffeuer mit Leos Songs und Balladen ausklingen zu lassen? Darin erklingt die Sehnsucht nach dieser so unverfälschten Natur, nach der Stille in den Tälern, dem Tosen der Meeresbrandung und dem Flüstern des Windes, der alte Geschichten von Feen und Elfen über das Land trägt. Donegal – einfach wunderbar!

WENN DER ADLER WIEDER FLIEGT

Seit etwa 100 Jahren galten sie als ausgerottet, das letzte Paar Gold- oder Steinadler, das in Irland brütete, wurde 1910 gesichtet. In Donegal im Nordwesten aber brütet nun wieder eine kleine Gruppe des *Aquila chrysaetos*, nachdem man im Jahr 2000 im Glenveagh-Nationalpark seine Wiederansiedlung gewagt hatte. Der Park in Donegal zählt zu den ursprünglichsten Landschaften Irlands, ein idealer Raum, den der sensible König der Lüfte dringend zum Überleben benötigt. Mit einem modernen Besucherzentrum und dem viktorianischen Castle samt Gärten am Lough Beagh ist der Park zum beliebten Ausflugsziel geworden.

WEITERE INFORMATIONEN

Donegal Discover Ireland Centre, Donegal, Tel. (074) 972 11 48, www.govisitdonegal.com
Glenveagh National Park, www.glenveaghnationalpark.ie, www.goldeneagle.ie
Websites: www.donegaltown.ie

Tory Island hat berühmte Maler hervorgebracht, attraktive Landschaftsmodelle und ländliche Motive (oben und rechts unten) gibt es genug. Auch der Hafen mit der mehr oder weniger regelmäßigen Fährverbindung zum Festland prägt das Leben der Insulaner (rechts oben).

41 Hart am Wind – Tory Island

Insel im Sturm

In den 1950er-Jahren arbeitete der Engländer Derrick Hill auf Tory. Die Einheimischen James Dixon, Anton Meenan und Patsy Dan Rodgers taten es ihm nach, mit Erfolg: Ihre Gemälde schafften es bis nach New York, Paris und London und erzielen stolze Preise.

Das 150 Einwohner zählende Eiland zehn Kilometer vor der Nordküste Donegals ist Irlands abgelegenste noch bewohnte Insel, häufig von peitschender Gischt und tosenden Stürmen belagert. Weg will hier trotzdem keiner: Mit Händen und Füßen wehrte sich die gälische Gemeinschaft, als die Regierung nach wochenlangen Unwettern im Jahr 1974 beschloss, die Insel dauerhaft zu evakuieren. Die Rechnung hatte man ohne die Gemeinde von Father Diarmuid O'Peicin gemacht, der Gott und die Welt mobilisierte und eine internationale Kampagne anzettelte, an deren Ende die Insel ein Stromnetz, fließendes Wasser, Postdienst und Fähranbindung bekam. Heute leben die Insulaner weniger vom Fischfang als von den Tagestouristen, die sich durch die Stürme trauen.

Die Künstler von Tory

Neben dem eigenen Dialekt und der Pflege gälischer Traditionen haben die Menschen auf Tory Island eine weitere Leidenschaft, die sie auf der ganzen Welt bekannt gemacht hat: die Naive Malerei. Die Maler von Tory haben sich inzwischen einen international renommierten Ruf erarbeitet. Begonnen hat alles in den 1950er-Jahren, als der englische Maler Derrick Hill auf der Insel arbeitete. Neugierig schauten die Einheimischen zu und beschlossen: Das können wir besser. James Dixon, Anton Meenan und Patsy Dan Rodgers waren die Ersten, die es mit ihren Arbeiten bis nach New York, Paris und London schafften. Heute sind sie gefragter denn je.
Info: www.oileanthorai.com, www.toryferry.com

Teach an tSolais
Ionad Eolais
Port a'Duin
An Bail Thoir

Am Morgen (oben) wie am Abend sind am Fanad Head und seinem Leuchtturm (rechts) wunderbare Wolkenformationen zu sehen.

42 Von Clans und Fehden – Fanad-Halbinsel

Malerisches Rathmullan und Traumstrand Portsalon

Rathmullan ist mit der berühmten historischen »Flucht der Grafen« verbunden. Die Familiengeschichte des O'Donnell- und des O'Neill-Clans, ihre Flucht nach Spanien und die britische Besiedlung der Halbinsel prägte die Entwicklung des Landstrichs an der Nordküste.

Die Nordwestküste Donegals ist so reich an Buchten und verträumten Halbinseln, dass einem die Wahl schwerfällt, wo man sich länger aufhalten soll. Beinahe noch ein Geheimtipp ist die Fanad-Halbinsel zwischen Lough Swilly im Osten und Mulroy Bay im Westen. Der angesehene *Observer* nannte den Strand von Portsalon an der Ballymakstocker Bay, auf der Ostseite der Halbinsel, einmal den zweitschönsten Strand der Welt. Der Ort hat darüber hinaus mit den Ballydahen Gardens eine sehenswerte Gartenanlage im asiatischen Stil, von der man auch den einzigen Landzugang zu den Seven Arches hat, einem 90 Meter langen Felsklippentunnel mit dem großen Bogen von Doagh Beg. Auf der Westseite wachsen Wälder, die Flächen dazwischen bilden Weideland und Hochmoore.

Die Flucht der Grafen

Im reizvollen Rathmullan scheint die Zeit stillzustehen, wie etwa die überwucherte Rathmullan-Abtei, ein Karmeliterkloster aus dem frühen 16. Jahrhundert, illustriert. Hier soll es zudem die besten Saatkartoffeln des Landes geben; das elegante Rathmullan House serviert die Beweise. Das Rathmullan Heritage Centre in der alten Hafenfestung informiert derweil über die Familiengeschichte des O'Donnell- und des O'Neill-Clans: 1607 waren Hugh O'Neill und Rory O'Donnell es überdrüssig, die Engländer zu bekämpfen, sie flohen von Rathmullan nach Spanien. Das als »Flucht der Grafen« überlieferte Ereignis führte zur Konfiszierung ihrer Ländereien, die im Rahmen der *Plantation of Ulster* mit britischen Siedlern besetzt wurden.

43 Grenzgebiet – Inishowen-Halbinsel

Einsame Schönheit Inishowen

Die Halbinsel Inishowen, zwischen Lough Swilly im Westen und Lough Foyle im Osten gelegen, ist eine wahre Schatzkammer für Irlandpuristen. Dass man als *borderland* gilt, weil nur einen Steinwurf übers Wasser entfernt, am Magilligan Point, Nordirland beginnt, stört hier keinen.

Kooperation ist angesagt. Auf 30 Fahrten hat man die Fährverbindungen zwischen dem Greencastle und dem nordirischen Magilligan ausgebaut. Und wie so oft haben auch hier die Ladys im Sport die Nase vorn. Denn Camogie ist eine ernsthafte Sache, auch wenn es von Frauen gespielt wird. Wie bitte? »Diskriminierung«, will man sogleich schreien, doch keine Sorge, eher anders herum wird ein Stock daraus. Camogie ist schon über 100 Jahre alt, hervorgegangen aus der Männerdomäne Hurling.

Crossborder-Camogie

Auf Inishowen ist das kleine Städtchen Carndonagh so eine Frauenbastion mit internationaler Ausrichtung: Crossborder-Camogie. Da es in Donegal nur im Mädchenbereich Spielklassen gibt, mussten die Camogie-Ladys von Carndonagh in der Derry-League mitspielen. Es gab Jahre, da konnten die CCs an der Meisterschaft nicht teilnehmen, weil es keinen Sponsor für die weiten Reisestrecken zu den Spielen gab. Das hat sich zum Glück geändert: »Camogie ist am stärksten im Süden Irlands vertreten, aber auch hier oben bei uns wird es immer besser«, weiß Nuala Lafferty, die aus Inishowen stammt, in Dublin gearbeitet hat, aber wieder nach Inishowen zurückgekehrt ist. Ganze 15 Spielerinnen auf dem Feld braucht es, dazu fünf Einwechselspielerinnen, doch die Carndonagh

Im Nebeldunst erscheint Malin Head tatsächlich wie das Ende der Welt (unten), wohnen kann man hier aber dennoch (rechts oben).

Ladys haben wieder ein schlagkräftiges Team beisammen und mischen in der Derry-Meisterschaft kräftig mit.

Archaische Moorlandschaften

Doch nicht nur wegen eines Spiels sollte man Carndonagh besuchen, hier steht auch eines der ältesten frühchristlichen Denkmäler Irlands, das St. Patrick's Cross aus dem 7. Jahrhundert. Etwas eigenartig wirkt die Überdachung, doch das muss wohl so sein, um die filigranen Verzierungen vor Wind und Wetter zu schützen. Beidem ausgesetzt ist auch das Arbeitsmaterial von Mary Doherty, Skulpturenkünstlerin aus Bocan bei Culdaff. Sie durchstreift das Sumpfland ihrer Heimat und sammelt Stämme und Reste der Mooreiche, manche Stämme sind 6000 Jahre alt. Ihre teils abstrakten, teils der Tierwelt entnommenen Holzskulpturen wurden schon auf Ausstellungen in ganz Irland gezeigt. Die Autodidaktin muss das Holz in ihrer Werkstatt drei Jahre lang lagern, bis es bearbeitet werden kann. Inzwischen hat sie 390 Stücke geschaffen, jedes davon ein Unikat und von besonderer Ausstrahlung: »Ich wollte schon immer mit Holz arbeiten. Nachdem meine Söhne herangewachsen waren«, erzählt Mary, »hatte ich mehr Zeit, durch die archaische Landschaft des Moores zu streifen, beim Torfstechen uraltes Holz zu finden aus Zeiten, in denen Irland noch dicht bewaldet war. Dieses Material zu neuem Leben zu erwecken ist eine wunderbare Herausforderung.«

Der nördlichste Punkt Irlands

Das gilt auch für die Inishowen-100-Route, weniger wegen der schmalen Küstenstraßen, vielmehr weil man ständig versucht ist, anzuhalten und die Aussicht zu genießen. Die etwa 100 Meilen lange Rundstrecke um die Halbinsel beginnt in Burnfoot, manch einer bleibt schon hier in »The Foot Inn« hängen. Über Buncrana, Clonmany und Carndonagh geht es zum Malin Head, dem nördlichsten Punkt Irlands. Spätestens hinter Culdaff an der Tremone und der Kinnagoe Bay bleibt man ein paar Tage, denn die Strände sind überwältigend. Ein gesunkenes Armada-Schiff hat für Taucher seinen Reiz, und am Leuchtturm von Stroove gehen noch heute Schatzsucher mit Geigerzählern den Strand auf und ab. Moville und Muff sind die Endstationen einer Rundreise, die man zumindest etappenweise hier im Grenzland auch zu Fuß zurücklegen sollte.

CURIOSITY AM ENDE DER WELT

Am Malin Head, an der Devil's Bridge, am Hell's Hole und am Leuchtturm Banba's Crown ist man am Ende der irischen Welt angekommen. Vorgelagert nur noch die unbewohnte Insel Inishtrahull. Außer dem Wee House of Malin, einer Eremitenzelle, in der einst der Heilige Muirdealach gewohnt haben soll, gibt es nur noch ein paar zerstreute Bauernhöfe, Felsenküsten, Moore und kleine Dörfer wie Slieveban oder Ballygorman. Und Peter McAvenue. Der betreibt einen Curiosity Shop am Malin Head, Irlands nördlichster Landzunge. Braucht jemand einen Schnürsenkel von 1937? Wie wäre es mit einem Kochtopf aus Deutschland, einer Pfeife aus Frankreich oder einem Teepott aus England? Afrikanischer Schrumpfkopf gefällig? Oder eine Untertasse aus ... wo zum Teufel ist die Tasse hingekommen? Nur wenn er das Gefühl hat, seine Frau hat wieder »aufgeräumt«, verdüstert sich sein fröhliches Gemüt: »Mich kennt hier in der Gegend jeder. Eine Adresse brauche ich auch nicht, das ist der Vorteil meines Namens«, grinst er. McAvenue, Malin Head – so kommt es immer an.

WEITERE INFORMATIONEN

Inishowen Tourism, Malin Road, Carndonagh, Tel (074) 936 26 00, www.visitinishowen.com
Malin Head, www.malinhead.ie

Ein Sonnenaufgang am Lower Lough Erne wirkt auf Devenish Island wie eine Hausboot-Idylle (rechts oben). Die hiesige Klosteranlage stammt aus dem Jahr 565 (oben). Der weitläufige Lough Erne (rechts unten) hielt auch die Wikinger nicht fern, zweimal verwüsteten sie die Klosterinsel. Nach der englischen Kolonialisierung wurde sie endgültig verlassen.

44 Unter Wasser – Upper und Lower Lough Erne

Im Land der Seen und Steine

Ein Drittel der Grafschaft Fermanagh ist von Wasser bedeckt. Rätselhafte Vergangenheit und Hoffnung auf eine friedliche Zukunft begegnen einem überall im Fermanagh Lakeland. Rund um den Lough Erne, an der unsichtbaren Grenze zur Republik Irland, findet man verträumte Landschaften, mystische Inseln, Charakterköpfe aus Stein und höchst lebendige Geschichtenerzähler, die alle düsteren Wolken vertreiben: Selbst tagelanger Dauerregen gerät zum Erlebnis, und die Fische beißen umso besser.

The Manor House Hotel in Killadeas, zauberhaft direkt am Lower Lough Erne gelegen, nur ein paar Kilometer nördlich von Enniskillen, verströmt den Charme Queen Victorias. Hier geht es *very british indeed* zu. Der holzgetäfelte Speisesaal duftet nach Rosenholz und Mahagoni, die exquisiten Intarsien, blauen Polster und roten Teppiche verströmen ein 1920er-Jahre-Ambiente, in dem das Leben noch mehr war als die Jagd nach Geld und Ruhm. Große Fenster geben den Blick frei auf den See, der daliegt wie ein Gemälde von William Turner. Keine lauten Gespräche, keine Hast, dafür Plüschsessel und Silberbesteck. »Do you remember, my dear?«, klingt es leise herüber, »it was a lovely time.«

Mondschein am See

Draußen gleitet langsam ein einsamer Schwan über den Lough Erne durch die Dämmerung zu seinem Ruheplatz. Das sich dunkelgrau färbende flache Wasser am Ufer verschwimmt mit der sanftgrünen Landschaft rund um Manor House, riesige Wolken ziehen vorbei und spiegeln sich im tiefblauen See. Das letzte Abendrot färbt das Wasser violett. Die wunderschönen

Art-déco-Intarsien funkeln im Glanz des Kerzenscheins und bilden die ideale Kulisse für das nun einsetzende Klavierspiel, selbst die krächzenden Lautsprecher stören da kaum. Was könnte es anderes sein als Beethovens Meisterwerk, die *Mondscheinsonate*? Draußen kommt ein Fischerboot näher und legt an am Steg, drinnen singt die Callas Verdi-Arien, aber die Angler wenden sich ab und machen sich auf den Nachhauseweg, zu Torffeuer und Geschichten von den Lough-Erne-Fischen, die in ihren Erzählungen jedes Jahr größer werden.

Auch die uniformierten Schüler werden im Pub William Blake dereinst ihren Durst löschen. In Enniskillen gehört Letzterer zu den Legenden: Hier wurde schon 1875 ausgeschenkt (oben und unten). Zwischen Upper und Lower Lough Erne lohnt sich ein Stopp (rechts oben).

Heilige Steine

Den Friedhof der kleinen Gemeinde Killadeas am Ostufer des Sees sollte man nur bei Tageslicht betreten, denn überall bedecken Efeu, Moos und Gräser die Zeugen der Vergangenheit, da kann so mancher Grabstein zum Stolperstein werden. Die Gründung der Yellow Church geht auf das 8. Jahrhundert zurück, die Mönche jener Zeit führten ein asketisches Leben: Hafermehlbrot, Wildgemüse und Butter zierten ihren Speisezettel. Fleisch gab es so gut wie nie. Dafür war die Getränkekarte reicher bestückt. Von Quellwasser über Gerstenbier, Molke, Met, Wein und Whiskey war einiges zum Durstlöschen vorhanden.
Berühmt waren die Killadeas-Mönche für ihre Einsiedlergedichte, die sehr sensibel und mit einem delikaten Touch ausgestattet waren. Der muss irgendwann dann zu delikat geworden sein, denn der heilige Mael Ruain of Tallaght verbot den Mönchen das starke Gebräu: »Solange ich die Regeln bestimme, wird die Flüssigkeit, die gottvergessen macht, hier nicht mehr getrunken.« Ob Bishop's Stone nun ein Wächter über Trinksitten ist oder nicht, sein Doppelgesicht scheint den Übergang vom Heidentum zur Christenheit zu symbolisieren. Auf der einen Seite ein stilisierter Abt mit Kreuz und Glocke als Zeichen seiner Würde, auf der anderen Seite ein großes Mondgesicht mit hervortretenden Augen, wulstigen Lippen und geöffnetem Mund. Die Kelten glaubten, die ganze Kraft eines Menschen liege im Kopf. Sie pflanzten die Häupter der Besiegten auf einen Stock, Auge in Auge sozusagen wurde die Energie übertragen. So entstanden vermutlich auch die großen Köpfe auf den Steinskulpturen. Und ein weiterer Stein verdient Aufmerksamkeit: »The Hole Stone« wird bis heute noch bei Hochzeitszeremonien benutzt. Das Paar kniet nieder, reicht einander durch das Loch im Stein die Hände und bekommt ewiges Glück.

Steinkreise und Janusköpfe

Fermanagh und der Lough Erne sind nicht nur ein Paradies für Wassersportler, Angler und

Wanderer, sie haben auch Kulturreisenden einiges zu bieten. Steinkreise gehören natürlich dazu. Am Nordostufer des Sees, hinter Kesh, am Rande der Sperrin Mountains, liegt der Drumskinney Stone Circle inmitten von Wiesen und Weiden, als wäre es das Selbstverständlichste auf der Welt. In Westeuropa ist dieses Phänomen relativ weitverbreitet, in Irland dagegen konzentriert es sich auf die drei nördlichen Grafschaften Tyrone, Derry und Fermanagh und im Süden auf Cork und Kerry.
Und erstaunlicherweise sind die Steinkreise im Norden aus einer größeren Zahl kleinerer Steine errichtet, die im Süden haben eine kleinere Anzahl größerer Steine.
Bemerkenswert auch, dass dieser aus 39 Felsbrocken bestehende Kreis aus der Bronzezeit drei Eingänge aufweist und eine Reihe von zwölf Steinen, in einer Linie aneinandergereiht. Das soll damit zu tun haben, dass für die Kelten die Zahl drei von großer Bedeutung war. Ist sie hier immer noch, denn versuchen Sie einmal, den gemütlichen Land-Pub Denis Monaghan's of the Cross in der Nachbarschaft der Kultstätte unter drei Pints zu verlassen. Die zahnlose Mary, der singende Bob und nicht zuletzt Denis *himself* lassen keinen ziehen unter zwölf Ales *altogether*. Die zwölfergerade Linie kriegt man danach wohl nicht mehr so genau hin.

Friedhof mit Drive-in

Doch mit John Cunningham, einem der kundigsten Gästeführer im Lakeland, und Gottes Gnade findet man trotzdem noch die St. Mary's Church und den Graveyard von Kiltierney bei Ederney. An der uralten Eibe, unter der sich schon viele Pilger ausgeruht haben, erzählt John dann, dass man hier eine der seltenen Anlagen einer irischen Nekropole, einer Totenstadt aus der Bronzezeit, vor sich hat. Ein einsamer Friedhof, die mit seltsamen, noch nicht entschlüsselten Zeichen versehenen Grabsteine und -kreuze, eine kleine Kirche, unverschlossen, alles hier atmet den Hauch vergangener Jahrhunderte. Und einer Gegenwart, die absurd genug erscheint. Denn John, der sein Auto mitten auf dem heiligen Gelände parkt, hält nicht viel von übertriebener Ehrfurcht: »Den Amerikanern sage ich immer: Ihr habt Banken und Restaurants mit Drive-in, wir fahren mit unseren Autos direkt auf den Friedhof.« Dank seiner Initialen J.C. würde ihm das auch im Himmel keiner übel nehmen. Und wie zur Bestätigung geht plötzlich sein Autoradio an, obwohl wir beide noch 20 Meter weiter an der Kirchenmauer lehnen. Und, so wahr ihm Gott helfe, seine Autoantenne, wie er versichert, letzte Woche erst gestohlen wurde. Er muss also trotzdem einen guten Draht nach oben haben.

RÄTSELHAFTES WHITE ISLAND

Eine unbewohnte kleine Insel liegt am Nordostende des Lower Lough Erne. Wer die Klosterruine durch das spätromanische Portal betritt, wird mit acht Steinfiguren konfrontiert: Links beginnt die Reihe mit einer Sheila-na-gig, einer Frau mit breitem Lächeln. Die zweite Figur wird als Christus der Evangelist gedeutet, gefolgt von einer Christusfigur mit Glocke und Hirtenstab. Die vierte Statue könnte König David darstellen. Als fünfte Skulptur schaut uns Christus als Mensch in die Seele. An sechster Stelle folgt eine Christusfigur als Erlöser. Die siebte Figur ist quasi nur eine Kontur und die letzte ein griesgrämiger Kopf. Schaurig-schön und geheimnisvoll!

WEITERE INFORMATIONEN

Tourist Information, Wellington Road, Enniskillen, Tel. (028) 66 32 50 00, www.fermanaghlakelands.com
Websites: www.belleek.com, www.manorhousecountryhotel.com, www.megalithicireland.com

Fish and Food – die neue Inselküche

Die Zeiten, in denen deftige Eintöpfe, verkochtes Gemüse und streng durchgebratenes Fleisch auf die Teller der irischen Haushalte gelangte, sind vorbei. Auch in Irland ist das Bewusstsein für frische und gesunde Lebensmittel gestiegen, Kochschulen und Restaurants zeigen einen Trend zum Genuss.

Es gibt sie noch immer, jene Vorurteile, die besagen, die irische Küche sei bestenfalls Durchschnitt und dazu da, möglichst schnell satt zu machen. All jenen, die Irland für ein kulinarisches Entwicklungsland halten, sei empfohlen, sich ein genaueres Bild zu machen. Sie werden demütig nach Hause kehren und ihren Freunden sagen: In Irland habe ich ausgesprochen gut gegessen. Von den Getränken ganz zu schweigen.

Mehr Nähe zum Meer

Die wenig schmeichelhaften Meinungen über die irische Küche halten sich beharrlich, sind inzwischen aber genauso überholungsbedürftig wie veraltet. Festmachen kann man das zum Beispiel am Thema Fisch: Den Iren wird eine für uns eher seltsam anmutende Zurückhaltung bei Fischmenüs nachgesagt, abgesehen von den beinahe überall zu erhaltenden berühmt-berüchtigten *Fish 'n' Chips*. Das verwundert tatsächlich, denn ist man nicht von sauberen Gewässern umgeben und kein Ort auf der Insel über 100 Kilometer vom Meer entfernt? Industriellen Fischfang im großen Stil gab es allerdings nie, die irischen Fischer arbeiteten für den eigenen Markt oder exportierten nur im geringen Umfang. Als ein ausgesprochen traditionelles irisches Gericht wurde Fisch nie angesehen, anders als die Kartoffel, die sich zum Grundnahrungsmittel Nummer eins entwickelte. Die Statistik sagt, dass Iren rund

Ein fein gedeckter Tisch, Blumen und Kerzen (oben) gehörten lange Zeit in Irland nicht gerade zum Standard in so manchen Restaurants. Das hat sich gewandelt, auch durch Chefköche wie Brian McDermott (unten), für den frische lokale Produkte die Basis guten Geschmacks sind.

sechsmal so viele Kartoffeln im Jahr verspeisen wie die Amerikaner.
In den 1990er-Jahren setzte eine Wende ein, nicht zuletzt dank Martin und Marie Shanahan, die in Kinsale ein Gourmet-Geschäft für Fisch und Meeresfrüchte und das Restaurant Fishy Fishy eröffneten. Martins Leidenschaft für alles, was mit dem Meer zu tun hat, spiegelt sich in seinem Sortiment wider, das geprägt ist von Frische und regionalem Fang vor der irischen Südküste. Noch heute sieht man lange Schlangen vor seinem Restaurant, denn auf diese Fischgerichte wartet man gerne.

Aus Liebe zur Frische

Das hat sich im Laufe der Jahre auf der ganzen Insel herumgesprochen: Mit Fischmenüs kann man erfolgreich sein. Auch im hohen Norden, im County Donegal, bringt Brian McDermott im Foyle-Hotel und -Restaurant großartige Fischmenüs auf die Teller, und in Killybegs an der Westküste hat die mit Unterstützung der Europäischen Union Anfang der 2000er-Jahre runderneuerte Fischfangflotte zu einem Aufschwung der Stadt und der Region geführt. Die hier hauptsächlich gefangenen Makrelen werden vor Ort veredelt zu hochwertigen Produkten, die mit Hilfe des *City Council* international vermarktet werden. Dort hat man auch das Potenzial erkannt, das in den frischen irischen Lebensmitteln steckt, und legt ganze Gourmet-Rundreisen durch die Grafschaft auf, die zu den Farmern und Produzenten führen, bei denen man nicht nur irischen Käse, sondern auch schon einmal frisch gerösteten brasilianischen Kaffee bekommt. Natürlich gibt es vor allem auf dem Lande noch sehr traditionelle Speisen wie *Coddle*, einen deftigen Eintopf mit Kartoffeln und Speck, oder *Drisheen*, eine warme Blutwurst aus Cork, die vor dem Servieren in Milch gekocht wird. Aber die vielen Kochschulen, die auf der ganzen Insel aus dem Boden sprießen, zeigen deutlich, dass Kochen nicht nur Nahrungsaufnahme bedeutet, sondern Genuss und Kunst sein kann.

Am wilden Knoblauch-Tisch

Das kann man zum Beispiel in Ramelton erleben. Der 1200-Seelen-Ort am Fluss Lennon wurde bekannt durch seinen berühmtesten Sohn David Gallaher, dessen Familie 1877 nach Neuseeland auswanderte. Der sportliche Dave brachte es dort bis zum Kapitän der Original All Blacks, der ersten neuseeländischen Rugby-Nationalmannschaft, die Europa besuchte. Heute würde er in Ramelton sicher am »Wild Garlic Table« von Pauline Sugrue, die mit ihrer Familie lange in Australien gelebt hat, Platz nehmen und die leckeren Speisen ihrer Kochschule genießen.

Fred Strickland aus Killinchy in Nordirland ist ein wahrer Meister, wenn es um leckeres Sodabrot geht. Und auch Pauline Sugrue (unten) verbindet in Ramelton weltweite Geschmackstrends mit bodenständiger irischer Küche zu zauberhaften Gerichten voller Kreativität.

45 Stein auf Stein – Florence Court, Boa Island

Edler Stuck und eine mystische Statue

Das County Fermanagh ist nicht nur sehenswert aufgrund seiner Seen und Flüsse, es hat auch kulturhistorisch einiges zu bieten. Das Herrenhaus Florence Court südlich von Enniskillen ist ein prachtvoller Rokokobau, und auf Boa Island am Nordende des Lower Lough Erne steht eine geheimnisvolle januksköpfige Steinfigur.

Das Herrenhaus Florence Court bei Enniskillen wirkt außen nüchtern, innen glänzt es mit verspieltem Rokoko (unten). Nur die Bibliothek und die Angestelltenräume sind wieder von spartanischer Strenge gekennzeichnet (rechts oben). Der Januskopf von Caldragh auf Boa Island ist über 2000 Jahre alt (rechts unten).

Das Stadtbild von Enniskillen wird dominiert vom gleichnamigen Castle aus dem 16. Jahrhundert, einer imposanten Festung des Maguire-Clans, der hier an einer strategisch wichtigen Stelle seine Macht manifestierte. Innerhalb seiner Mauern sind heute das Fermanagh County Museum zu Hause, mit Ausstellungen zur Geschichte, Fauna und Flora der Region, und ein Royal Inishkillin Fusiliers Museum mit Orden und Kriegserinnerungsstücken. Nur rund zwölf Kilometer südlich der Stadt findet man in herrlicher Parklandschaft ein weiteres architektonisches Schmuckstück, das man sich nicht entgehen lassen sollte.

Das Herrenhaus liegt in einem bewaldeten Park am Fuß der Cuilcagh Mountains und wurde für John Cole, den ersten Earl of Enniskillen, im frühen 18. Jahrhundert erbaut. Es beherbergt heute eine der wichtigsten Sammlungen irischen antiken Mobiliars und die bedeutendsten Stuckarbeiten im Rokokostil der Insel. Das im palladianischen Stil gestaltete Gebäudeensemble mit seinen großzügigen Kolonnaden wurde 1955 durch ein großes Feuer fast völlig zerstört. Der National Trust hat es aber wieder restauriert, und so erscheint es heute in alter Pracht, nachdem viele Gegenstände des sechsten Earl of Enniskillen ihren Weg zurück nach

Florence Court gefunden haben. Ein schöner Rosengarten und eine uralte, riesige Eibe runden das behagliche Anwesen ab.

Janusköpfe auf Boa Island

Ein doppeltes Gesicht zeigen die berühmtesten Statuen Fermanaghs und des Lough Erne, die Janusköpfe von Boa Island. Die Insel war in alten Zeiten, als der Erne sozusagen die Wasserautobahn durch Fermanagh bildete, Treffpunkt der keltischen Stammesfürsten, die sich dort an heiliger Stätte trafen, um Frieden zu schließen. Gelegentlich müssen sie sich auch bekämpft haben, denn der Name Boa kommt von der keltischen Gottheit Badhbha, einem der drei Kriegsgötter. Dieser wird auch als Rabe oder Omen des Todes dargestellt. Aber Badhbha wird auch mit Geburt in Verbindung gebracht. Wie so häufig heute noch, gab es schon in alten nordirischen Zeiten zwei Seiten der Medaille. Jedenfalls sollte jeder, der immer noch nicht verstanden hat, dass nur ein dauerhafter Frieden Nordirland eine Zukunft gibt, eine Nacht auf dem Caldragh Cemetery verbringen und mit Bauer Douglas Rowe reden, dem das Grundstück gehört. Danach wird auch der letzte Sturkopf verstehen …

Gedicht von Meister Heaney

Die über 2000 Jahre alten Steinfiguren auf Boa Island haben eine Ausstrahlung, die selbst den nordirischen Literaturnobelpreisträger von 1995, Seamus Heaney, zu einem Gedicht über den Friedhof und die beiden Figuren inspiriert hat: *January Gold* heißt das Werk, denn der Name unseres Wintermonats stammt ab vom doppelköpfigen römischen Gott Janus. »Then I found a two faced stone on burial ground, God-eyed, sex-mouthed, it's brain a watery wound.« Zwei Gesichter, weil die Kelten glaubten, Zwillinge hätten eine besondere Macht. Das Gehirn eine wässrige Wunde, weil am Ende des Kopfes eine Mulde angelegt ist, in der sich Opferflüssigkeit befand und die heute mit dem sich darin sammelnden Regenwasser die Blumen frisch hält, die von unbekannter Hand dort abgelegt werden. Die als aufreizend exhibitionistisch interpretierte weibliche Gottheit soll eine Sheila-na-gig sein, eine vorchristliche Fruchtbarkeitsgöttin, die allein mit ihrer Nacktheit die Feinde besiegte. Der ganze Ort, eingerahmt von wilden Brombeerhecken und meterhohem Gestrüpp, wirkt so weltabgewandt, so zeitlos, dass man sich gut den Kreis der Druiden vorstellen kann, die hier über das Schicksal der Clans berieten.

DICHTER IN ENNISKILLEN

Im 14 000-Einwohner-Städtchen Enniskillen, in dem nicht nur Oscar Wilde, sondern auch Samuel Beckett die Portora Royal School besuchten, von der aus man einen schönen Blick über den Zusammenfluss von Upper und Lower Lough Erne hat, braucht heute keiner mehr auf Godot zu warten. Die Stadt hat vom Super- bis zum Trödelmarkt alles, was das Touristenherz begehrt. Heute lebt man friedlich miteinander. Die einzigen Wandmalereien fordern »Peace now«. Im Buttermarket gibt es Wollpullis und Landschaftsaquarelle, nebenan in der World Café Bar tatsächlich Kaffee, der den Namen verdient, und im Pub William Blake einen legendären *pint of* Guinness. Zur Legende geworden ist auch Devenish Island, nur ein paar Kilometer flussabwärts gelegen. Der imposante Rundturm und die Ruinen des vom heiligen Molaise, einem der zwölf Apostel Irlands, gegründeten Klosters, das aus dem 6. Jahrhundert stammt, haben heute ein kleines Museum hinzubekommen.

WEITERE INFORMATIONEN

Florence Court House National Trust, Enniskillen, Tel. (028) 66 34 82 49, www.nationaltrust.org.uk

Lusty Beg Island/Boa Island, Kesh, Tel. (028) 68 63 33 00, www.lustybegisland.com

Derry am River Foyle wirkt heute modern (oben). Die St.-Columb's-Kathedrale in Derry war die erste Bischofskirche, die nach der Reformation auf den Britischen Inseln erbaut wurde (rechts unten). Im »Playhouse« treten berühmte Künstler, Schauspieler und Musiker auf (rechts oben).

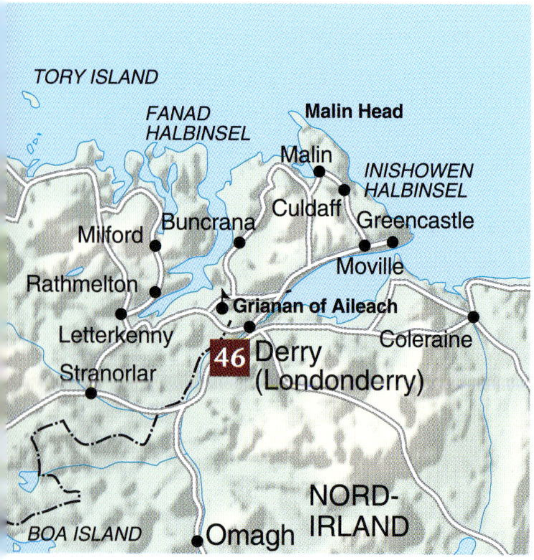

46 Im Kommen – Londonderry

Derry und die Dachse

Nordirlands zweitgrößte Stadt Londonderry, am River Foyle gelegen und abgekürzt nur Derry genannt, wirkt auf den ersten Blick überschaubarer und gemütlicher als Belfast, hat aber dank der offensiven Aufarbeitung konfliktreicher Vergangenheit nicht weniger zu bieten als die Metropole. Bunte Häuserzeilen und eine mächtige Stadtmauer prägen das Bild einer Stadt im Aufbruch.

Touristen können sich heute überall frei und sicher bewegen, ob auf der Mauer, in der Mauer, unter der Mauer oder auch auf der anderen Seite der Mauer, in der Bogside, dem einstigen »No-to-go-land«. Auch hier versteckt man sie nicht mehr, die blutige Vergangenheit, sondern zeigt sie offen, um daraus zu lernen. Londonderry ist, ähnlich wie seine große Schwester am Lagan, eine junge Stadt. Rund 45 Prozent der 90 000 Einwohner sind unter 25 Jahre alt. Die Universität und die lebhafte Innenstadt rund um den Diamond, den Hauptplatz inmitten der vollständig erhaltenen Stadtmauer aus dem 17. Jahrhundert, verleihen ihr eine fast unbeschwerte Atmosphäre.

Vergangenheit als Mahnung

Die jedoch immer wieder unterbrochen wird durch Erinnerungen an die *troubles*, die auch in Derry ihre unauslöschbaren Spuren hinterlassen haben. Längst sind die Bogside und ihre Murals zur Touristenattraktion geworden, man mag davon halten, was man will. Das Denkmal zum Bloody Sunday und die vielen Wandgemälde zu den Civil Rights und dem »freien Derry« machen dennoch betroffen, aber vielleicht hilft das ja mehr als alle politischen Sonntagsreden zusammen, egal, aus welcher Ecke sie kommen. Zum Glück gibt es inzwischen auch viele positive Signale. Im »Badgers«, dem Pub der »Dachse«, trifft sich Jung und Alt, katholisch oder protes-

tantisch, ohne sich in den eigenen Bau zurückzuziehen. Ein neues Bloody-Sunday-Museum wurde eingerichtet, es gibt Touren durch die Bogside und überall den Wunsch, in Frieden miteinander zu leben.
An vielen Häusern und Gebäuden prangen keine Parolen mehr, sondern die bunte Welt der Konsumträume. Eine bunte Friedenstaube an einer Hauswand am Eingang zur Bogside, von Schulklassen beider Konfessionen gemalt, zeigt, wie man aufeinander zugeht. Kompromissbereitschaft ist kein Fremdwort mehr, selbst die Orange Boys, die zu Tausenden jedes Jahr die Stadtmauer während der Oraniermärsche entlangziehen, waren bereit, ihre Anzahl zu reduzieren, um die Katholiken nicht übermäßig zu provozieren. Besonders der Bereich rund um das neue Besucher-Informationszentrum am Foyle wirkt einladend und offen, wie die Mauer selbst ja auch im Laufe ihrer Geschichte immer wieder neue Tore hinzubekam. Derry rühmt sich, heute Gastgeber des größten Halloween-Festes in Irland zu sein, und genießt auch als Kulturzentrum einen guten Ruf.

Im Zeichen der Versöhnung

Walled City Festival, City of Derry Drama, Maiden City oder Foyle Film Festival, der Veranstaltungskalender ist ähnlich reich bestückt wie in Belfast. Und wer am Derry Playhouse vorbeikommt, dem derzeit kreativsten Kulturzentrum der Stadt, und das Glück hat, die Theaterversion von *Days like this* live erleben zu können, der sollte ruhig seine letzten Pfunde für ein Ticket zusammenkratzen. Ein junger nordirischer Protestant trifft einen jungen nordirischen Katholiken, sie lernen sich kennen, lernen, sich gegenseitig zu tolerieren und zu achten. Im Hintergrund läuft natürlich der Morrison-Song: »When no one steps on my dreams there'll be days like this.« Auch das Tower Museum ist einen Besuch wert. Direkt an der Stadtmauer im Herzen der Altstadt gelegen, zeigt es nicht nur die bewegte Geschichte von den geologischen Ursprüngen über die *troubles* bis in die heutige Zeit, sondern jetzt auch eine zweite interessante Ausstellung, die Armada Shipwreck Exhibition. Dabei geht es um die Entdeckung und Bergung eines der größten Armada-Schiffe, der La Trinidad Valencera, die 1588 vor der Küste gesunken ist. Der Derry-Tauchclub hat sie 1971 entdeckt, mit Unterwasser-Archäologen wertvolle Gegenstände und Artefakte geborgen und sie zu einer interaktiven Ausstellung aufbereitet. Nicht umsonst gilt das Tower Museum in Derry als eines der modernsten in Europa. Es wurde mit dem irischen, dem englischen und dem europäischen Museumspreis ausgezeichnet. Ein gelungenes Zeichen für den nicht mehr umkehrbaren Friedensprozess.

LEGENDÄRES LONDONDERRY

Wenn es um geistreich-witzige Wortspiele geht, haben Iren und Briten oft die Nase vorn, denn dazu lädt ihre Sprache geradezu ein. So wird beispielsweise aus dem Nachnamen eines ehemaligen Premierministers durch den Platztausch zweier Buchstaben ein Lügner – Blair vs. *bliar* – und aus einem alternden Fußballnationaltrainer ein Fallensteller – *caught in a trap*, in Anspielung auf den Italiener Giovanni Trapattoni. Und selbst vor der Hochkultur machen die Wortschöpfer keinen halt: »Let it be LegenDerry« lautete der Slogan für das Kulturhauptstadtjahr 2013 in Londonderry, und sie behielten damit recht. Londonderry ist gerade dabei, sein Image aufzupolieren, von der »City of Conflicts« zur »City of Culture« sozusagen. Die Musik- und Pub-Kultur spielen dabei natürlich eine tragende Rolle. Und wer das Gemisch aus Gästen aus aller Welt abends in der Waterloo und der Shipquay Street in und vor den Pubs friedlich feiern sieht – Iren, Briten, Katholiken, Protestanten –, kann sich nicht mehr vorstellen, dass der Friedensprozess noch einmal schief geht.

WEITERE INFORMATIONEN

Derry/Londonderry Tourist Information Centre, 44 Foyle Street, Derry,
Tel. (028) 71 26 72 84,
www.visitderry.com

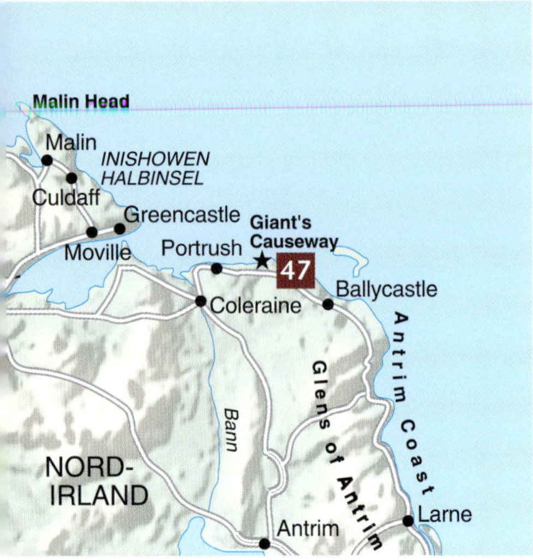

47 Gigantisches Werk – Giant's Causeway

Wettstreit der Riesen

Das wohl größte Naturwunder Irlands, vor 60 Millionen Jahren entstanden, ist zum Glück nur in der Hauptsaison überlaufen. Gerade im Frühjahr und im Herbst bieten die bis zu 15 Meter hohen Basaltsäulen ein dramatisches Küstenpanorama mit großartigen Wolkenzügen und milde umschmeichelndem Licht, das die ganze Szenerie wirklich riesenhaft erscheinen lässt.

Der Giant's Causeway ist zu jeder Tages- und Jahreszeit einen Abstecher wert. Ein neues Besucherzentrum wurde auch gebaut (unten). Im Sommer locken die beeindruckenden Basaltformationen zum ausgiebigen Sonnenbad (rechts oben).

Natürlich gibt es eine Menge geologisch-naturwissenschaftlicher Theorien und Studien über die Entstehung des Giant's Causeway, der heute zum UNESCO-Weltnaturerbe zählt. So soll sich eine dicke Schicht an Basaltlava über eine Kalkformation ergossen haben und beim Abkühlen dann die gesteinstypischen, sechseckigen Schrumpfungsrisse entstanden sein. Durch Erosion, Wind und Wetter kamen dann im Laufe der Zeit die Säulen an die Oberfläche. Basaltstrukturen hin oder her, es gibt nicht wenige, die von der mythologischen Entstehungsgeschichte mindestens genauso überzeugt sind.

Finn und der Schotte

In längst vergangenen Zeiten nämlich trieb sich an der irischen Nordküste ein Riese namens Finn McCool herum. Oft schaute er übers Meer nach Schottland, denn dort lebte Benandonner, sein größter Rivale. Viele Geschichten hatte Finn schon von dem schottischen Ungetüm gehört, von seiner Stärke, seiner Tapferkeit und einem unbeugsamen Mut, der alle Feinde in die Flucht schlug. Finns Heldentaten waren auch nicht von schlechten Eltern, so reizte es ihn, dem Schotten zu zeigen, wer der größte und der stärkste Riese auf der Welt war. Da sie sich noch nie begegnet waren, lud Finn den Schotten zu

einem Entscheidungskampf ein. Natürlich gab es kein Boot, das groß genug war, um einen Riesen übers Meer zu bringen. So baute Finn aus Felsen einen Damm, damit Benandonner trockenen Fußes übersetzen konnte und keine Ausrede mehr hatte. Wie auch immer, als Big Ben erschien, bekam es Finn mit der Angst zu tun, denn sein Rivale war furchterregender als er vermutet hatte.
Er floh in seine Höhle und bat seine Frau um Rat. Oonagh, äußerst praktisch veranlagt wie so viele irische Frauen, verkleidete Finn als Baby, legte ihn in einen Holzkasten und befahl ihm, sich schlafend zu stellen. Ben erschien, Oonagh lud ihn zum Tee ein, bat aber um Ruhe, denn Finns Sohn schlafe gerade. Als Ben sah, welch kräftiger Kerl da schlummerte, ergriff er die Flucht, denn wie mächtig musste da erst sein Vater sein? Und hinter sich brach er den Damm ein, damit Finn McCool ihm ja nicht folgen würde. So entstand Giant's Causeway.

Wandern an der Riesen-Küste

Steine schleudernde Riesen werden Ihnen hier keine mehr begegnen, im Gegenteil: Die Herzlichkeit und Gastfreundschaft wird Sie beeindrucken, selbst an gut besuchten Tagen hat der Parkplatzwächter ein freundliches Lächeln übrig, die Dame im Besucherzentrum einen Scherz auf den Lippen und das Wetter ein paar Sonnenstrahlen übrig. Der Weg vom Parkplatz zum Causeway hinunter ist in einer Viertelstunde leicht zu bewältigen, wer aber Fotos für das Familienalbum braucht, sollte den Weg zur Spitze der nordöstlich gelegenen Landspitze nehmen, und nach nur zwei Kilometern hat man von dort einen wunderschönen Blick auf Giant's Causeway und in der anderen Richtung auf die Küstenlinie bis zur Inishowen-Halbinsel. Wer etwas mehr Zeit hat, wählt den Küstenpfad über Port Reostan zum Benbane Head und Hamilton's Seart, einem ausgezeichneten Aussichtspunkt. Unterwegs kommt man an der Orgel, der Harfe und den Augen des Riesen vorbei, allesamt Namen imposanter Basaltsäulen, die durch ihre Form und Größe immer wieder die Fantasie beflügeln. Etwas weiter östlich thront die Ruine von Dunseverick Castle aus dem 16. Jahrhundert hoch oben auf den Klippen, von dort kann man Ausschau halten, ob Benandonner nicht doch neuen Mut gefasst hat und Finn eins auswischen will. Dann sollte man nicht im Wege stehen, wenn die Felsbrocken fliegen.

BUSHMILLS WASSER DES LEBENS

Ob Finn McCool ein besonders durstiger Riese war, ist nicht überliefert. Heute bräuchte er sich jedenfalls um das Wasser des Lebens, das ihn für jeden Kampf stärkt, keine Gedanken zu machen, denn die Bushmills Distillery ist nur einen Steinwurf entfernt. Den Weg könnte er mit einem einzigen Riesenschritt erledigen. Die erste offizielle Lizenz zum Whiskeybrennen von 1608 macht Bushmills zur ältesten Brennerei Irlands, wahrscheinlich sogar zur ältesten (legalen) weltweit. Die ausschließlich aus irischer Gerste, Hefe und Wasser des St. Columb's Rill, einem Nebenbach des River Bush, gebrannten Bushmills Malt kann man nach einer Führung durch 400 Jahre Whiskeytradition auch verkosten. Oder den nur in geringen Mengen produzierten Single Malt Coleraine mit nach Hause nehmen, der sicher auch zu Finns Favoriten gezählt hätte.

WEITERE INFORMATIONEN

Giant's Causeway Visitor Centre,
44 Causeway Road, Bushmills,
Tel. (028) 20 73 18 55,
www.nationaltrust.org.uk/giants-causeway
Bushmills Distillery, 2 Distillery Road,
Bushmills, www.bushmills.com

Die spektakuläre Carrick-a-Rede-Hängebrücke hat noch jeden ins Schwanken gebracht. Schwindelfrei sollte man beim Überqueren schon sein (oben). An der Antrim Coast gibt es zahlreiche unberührte Buchten wie die Whitepark Bay (rechts).

48 Roadshow – Antrim Coast

Traumstraße im Norden

Wer hat schon die Namen Ballygalley, Cushendall und Waterfoot gehört und dabei vielleicht an den Grand Canyon gedacht? Diese Orte aber gehören zur atemberaubenden Küstenstraße im kleinen County Antrim. Über gewaltige Kliffe, durch bildhübsche Dörfer und die sanften neun Glens, die Täler von Antrim, schlängelt sie sich den Nordwesten hinauf.

Die Antrim-Coast-Route gilt als die schönste der Britischen Inseln, und in der Tat ist an diesem Superlativ etwas dran. Gebaut wurde sie zwischen den Jahren 1832 und 1842. Zehn lange Jahre für 70 Kilometer durch eine Landschaft, die zuvor von der Welt vergessen war. Die malerischen Namen der Glens of Antrim wie »Tal der Hecken«, »Königin der Glens« oder »Tal des Huflattichs« künden von friedvoller Ruhe. In Larne, nördlich von Belfast, startet die Route, immer mit Blick auf die Irische See führt sie über das sympathische Ballycastle, das seit 1606 einen der ältesten Märkte des Landes abhält, die Ould Lammas Fair, bis hinauf zum beliebten Badeort Portrush.

Reiseliteratur in Larne

Natürlich kann man die Tour entlang der Antrim-Küste auch in Carrickfergus beginnen und sich dort das Castle ansehen, das auf dem Felsen thront und eine der imposantesten Burgen Irlands darstellt, die aber auch 800 Jahre britischen Anspruch repräsentiert. Die Boote im Segelhafen erscheinen winzig neben der mächtigen Burg. So richtig auf Touren kommt man in Larne. In dieser Bucht ankerten schon Wikinger, Römer und Anglo-Normannen. Das 18 000-Einwohner-Städtchen gilt auch als Tor zu den neun Glens: Glenarm, Glencloy, Glenariff, Glenballyemon, Glencorp, Glenaan, Glendun, Glenshesk und Glentaisie. Alles Glen

Die Ruinen, Burgen und Klippen an der Antrim Coast erscheinen wie einem Fantasy-Abenteuer entsprungen (oben). In Carnlough findet man auch am Hafen die weißen Kalksteinhäuser (unten). Eine Wanderung an der Küste zum Fair Head verwöhnt mit dramatischen Szenerien (rechts).

easy? Heute bezieht Larne seine Bedeutung hauptsächlich aus dem Fährhafen, hier treffen die Passagier- und Frachtschiffe aus Schottland ein. Außer dem Kulturzentrum Carnegie Centre hat Larne nicht übermäßig viel zu bieten, und wie das bei Fährhäfen nun mal so ist, überwiegt hier schmucklose Industriearchitektur. Warum also sollte man hier anhalten? Ganz einfach: Larne hat eine bestens bestückte Touristeninformation vorzuweisen, in der man sich mit allen nur erdenklichen Broschüren, Karten und Ausflugstipps zur Antrim Coast Road eindecken kann. Auch der Videofilm über die Geschichte und die Sehenswürdigkeiten entlang der Küste und in den Glens ist eine ausgezeichnete Einstimmung auf das, was einen auf einer der schönsten Küstenstraßen der Welt erwartet.

Auf dem Weg nach Ballycastle

Gleich hinter Larne beginnt das Problem: Fahren oder aussteigen? Diese Entscheidungsnot wird einen während der ganzen Strecke begleiten und führt häufig dazu, dass man den beabsichtigten Zeitplan über den Haufen wirft und kurzerhand den Urlaub verlängert. Zwar ist die Küstenstraße keineswegs mit Parkplätzen zugepflastert, sie hat aber immer noch so viele Haltemöglichkeiten und Aussichtspunkte, dass schon bei Ballygalley der Etappenplan durcheinandergerät.

Manch einer lässt sich schon hier zu einem Abstecher ins Landesinnere verleiten, zieht doch in der Nähe von Ballynmena der Berg Slemish – die Überreste eines Vulkans – die Besucher an. Kein Geringerer als der heilige Patrick soll hier als Diener sechs Jahre lang Schafe gehütet haben. Über Glenarm, das älteste Dorf in den Glens und seit 1750 Familiensitz der MacDonnells, derzeit lebt der 14. Earl of Antrim in Glenarm Castle, gelangt man ins hübsche Hafenstädtchen Carnlough, das mit seinen zahlreichen Kalksteinhäusern hell und freundlich wirkt. Weiter geht es dicht an der Küstenlinie entlang nach Waterfoot. Der Name ist Programm, denn Waterfoot hat einen Sandstrand von über zwei Kilometern Länge, in den noch jeder, der vorbeigekommen ist, seine Füße gesteckt hat. Auch im Glenariff Forest Park steigt man aus und bewundert das klassische Trogtal und die umliegenden Hügel, die der Schriftsteller Thackeray als die »Schweiz im Miniaturformat« bezeichnet hat. Im 1200 Hektar großen Waldpark sind die Ess-na-Larach-Wasserfälle nur einen Kilometer hinter dem Besucherzentrum die Hauptattraktion. In Cushendall zweigt eine kleine Straße von der Antrim Coast Road ab zum Torr Head, von dem aus man an klaren Tagen bis zum schottischen Mull of Kintyre sieht.

Von Ballycastle aus kann man mit der Fähre nach Rathlin Island übersetzen oder sich Zeit nehmen, um die Carrick-a-Rede-Hängebrücke zu überqueren, wenn man schwindelfrei ist oder vorher in der Old-Bushmills-Destillerie ein Gläschen Whiskey zu sich genommen hat. Der Giant's Causeway versteht sich von selbst, danach geht es weiter in Richtung Westen nach Portrush.

Küchendrama in Dunluce Castle

Zuvor aber zieht das imposante Dunluce Castle auf einem Felsvorsprung direkt an der Küste die Blicke auf sich. Die Burg aus dem 16. Jahrhundert zwischen Portballintrae und Portrush war der Stammsitz des McDonnell-Clans, der bis ins 17. Jahrhundert hinein Antrim regierte. Wie die meisten von den Engländern hier angesiedelten Kolonisten stammten die McDonnells aus Schottland. Von der in der Nähe gesunkenen Girona, einem Schiff der spanischen Armada, holte sich Sorley Boye McDonnell die Kanonen, die heute noch auf den Mauern zu sehen sind. Die erbeuteten Goldschätze sind im Ulster Museum in Belfast ausgestellt. Angriffe von Land und Meer aus überstand Dunluce Castle viele, gegen die Natur war die Burg allerdings machtlos: Im Jahr 1639 stürzte ein Teil der Burg samt Küche und Bediensteten hinunter in die Fluten. Das war für Lady McDonnell dann doch zu viel, das ewige Tosen des Meeres, die Stürme, die Kälte und jetzt auch noch der Küchenabgang. Man zog nach Glenarm um und überließ die Burg ihrem Schicksal.

Powerbeat in Portrush

Nicht nur unter Surfern aus aller Welt genießt der drei Kilometer lange Curran-Sandstrand östlich von Portrush, der sich bis zu den Kreidefelsen von White Rocks erstreckt, einen ausgezeichneten Ruf. In den Sommermonaten ist hier immer etwas los: Spielkasinos und Spaßbäder, Kirmes und Nippes, Fastfood und Familienunterhaltung in der »Waterworld« reihen sich hier aneinander.

Der Badeort ist bei Erholungsuchenden aus Belfast und Londonderry genauso beliebt wie unter den Studenten der nahe gelegenen Universität von Coleraine. Selbst aus Dublin kommt das Partyvolk angereist, denn das »Lush!« in der Bushmills Road gehört zu den angesagtesten Diskotheken in ganz Irland. Das bunte Treiben hier reißt sogar die Geister von Dunluce Castle aus ihren Träumen!

GEBURTSORT DER HANDYTECHNIK

Von Ballycastle aus legen die Fähren ab nach Rathlin Island. Noch eine Insel, werden manche denken. Ja, noch eine Insel, und die muss dabei sein. Schließlich könnten wir uns ohne sie heute nicht überall mit dem Handy verständigen. Denn am 6. Juli 1898 gelang es Guglielmo Marconi, vom Ostende der Insel erstmals mit drahtloser Telegrafie eine Verbindung zum Festland nach Ballycastle herzustellen. Heute bevölkern Rathlin Island neben 95 Einwohnern Tausende Seevögel und Robben, und an der Westküste gibt es ein Vogelschutzgebiet, in dem Papageitaucher, Trottellummen und Dreizehenmöwen leben. An den meisten Stellen der elf Kilometer langen und nur anderthalb Kilometer breiten Insel prägt urwüchsige Heidelandschaft das Bild.

WEITERE INFORMATIONEN

Larne Tourism, Main Street
www.midandeastantrim.gov.uk
Websites: www.antrimhistory.net, www.rathlinballycastleferry.com

Wer würde sich hier in Antrim an der Whitepark Bay nicht niederlassen wollen – wenn da nur nicht das Schmelzen der Gletscher wäre! Zumindest die Bewohner von Portbraddan in den Häusern auf den Klippen können beruhigt in die Zukunft schauen.

Wen das Steinzeitgrab Ossian's Grave am Glenaan Glen verborgen hält, weiß man nicht, denn die Ossian-Figur ist eine literarische Fiktion (oben). Cushendall und seine Umgebung (rechts oben) haben einen charmanten Puppenstubencharakter. In Cushendun stehen die Häuser unter Denkmalschutz (rechts unten).

49 Zeugen der Naturgewalten – Glens of Antrim

Als die Eiszeit verschwand

Als sich vor rund 17 000 Jahren die letzte Eiszeit auf dem Rückzug befand, hat diese erdgeschichtliche Umwälzung nicht nur Zerstörung hinterlassen, sondern auch Raum geschaffen für Neues. Im County Antrim sind das vor allem neun Täler, Glens of Antrim genannt, die eine abwechslungsreiche Landschaft gebildet haben.

Zwischen Glenarm und Cushendun haben sich malerische Gletschertäler in das Plateau gegraben, die sich mit Wasserfällen und Wäldern vom schwarzen Basalt abheben. Kleine Dörfer schmiegen sich an die Hänge, dramatische Küstenabschnitte und einsame Strände glitzern im Sonnenlicht, eine Gegend, für die »märchenhaft« ausnahmsweise einmal zutreffend ist.

Auf zwei ausgeschilderten Hauptwanderwegen kann man die Glens of Antrim erkunden. Der Ulster Way führt hauptsächlich an der Küste entlang, der über 30 Kilometer lange Moyle Way windet sich vom Glenariff Forest Park über Hügel und Täler nach Ballycastle. Besonders rund um Glenariff wird die ganze Vielfalt dieser faszinierenden Landschaft sichtbar.

Cushendall – Perle an der Glen Coast

Das denkmalgeschützte Cushendall, wo die drei Täler Glenaan, Glenballyemon und Glencorp zusammentreffen, zeigt sich mit gotischer und viktorianischer Architektur von der schönsten Seite. Erst im frühen 19. Jahrhundert begann in Cushendall die moderne Entwicklung, als 1813 Francis Turnly, der in Indien reich geworden war, den Ort und die Ländereien erwarb und begann, die Gegend mit neuen Wegen und Straßen zu erschließen, noch bevor die Antrim Coast Road den Ort erreichte. Er baute auch das erste Hotel. Turnly, der Held des Dorfes, starb 1845, und noch heute wird im McCollam's Pub in Liedern und Geschichten an ihn erinnert.

Info: www.cushendall.info

50 Aus dem Ei gepellt – Belfast

Hauptstadt-Blues gestern und heute

Die nordirische Hauptstadt Belfast gilt als Boomtown, und tatsächlich hat sie sich von einer eher düster wirkenden Metropole in den letzten Jahren zu einem modernen Zentrum mit internationalem Flair entwickelt. Dazu trägt natürlich auch ein berühmter Sohn der Stadt bei, der Grandpa des Blues, Van Morrison, hilft mit, das Image Belfasts weiter aufzupolieren.

Zu einem Wahrzeichen in Belfast ist die 1999 errichtete Skulptur *The Big Fish* geworden (unten). Das Titanic-Museum ist ein architektonisches Glanzstück. (rechts oben). Die Lagan Brücke über den gleichnamigen Fluss erleuchtet den Spätheimkehrern aus den Pubs den Weg (rechts unten).

Das einst zweifelhafte Image der Stadt hat sich in den letzten Jahren stark verbessert. Das Hafenviertel zum Beispiel wird neu aufgebaut, ein Titanic-Museum ist neben Geschäfts- und Bürogebäuden entstanden. Mit dem Odyssey am Queens Quay verfügt man über einen beeindruckenden Glaspalast am Fluss Lagan, eine moderne Arena, die 10 000 Zuschauern Platz bietet und in der Konzerte, Konferenzen und Events stattfinden, die der Stadt ihren weltoffenen Charakter verleihen. Ein Eishockeyspiel der Belfast Giants dort zu erleben gehört schon zu den Kultevents und bleibt ein unvergessliches Erlebnis.

Städtebau mit Festivalkultur

Die touristische Infrastruktur kann sich längst sehen lassen. Der Einwohnerrückgang wurde gestoppt, rund 500 000 Bewohner zählt Belfast mit Vororten inzwischen, die Hälfte davon unter 30 Jahren. Zwei Flughäfen gibt es mittlerweile, Autobahn- und Schnellstraßenanbindung, im Zentrum immer wieder neue Bars und Restaurants, die eröffnen, und Shoppingtempel an fast jeder Ecke. Belfast wirkt tatsächlich äußerst lebendig, jung und modern, nicht zuletzt aufgrund einer ausgeprägten Festivalkultur. Vom Titanic-Fest im April über das alternative Cathedral Quarter Arts Festival im Mai, den

Murals wie hier in der Falls Road gehören zum Belfaster Alltag, die Parolen reichen von Politik bis Religion (oben und unten). Die Belfast City Hall kommt pompös daher (rechts oben).

zahlreichen Sommerveranstaltungen bis hin zum renommierten Belfast Festival at Queens im Oktober und dem Cinemagic im Dezember, hier ist immer etwas los. Die städtebaulichen Anstrengungen sind rund um die Lagan-Mündung und im Zentrum sichtbar, alles wirkt aufgeräumt und frisch, auf dem Sprung in eine bessere Zukunft. Die Waterfront Hall, das Künstlerviertel am Custom House, die mächtige City Hall, 1888 eröffnet, als Belfast von Queen Victoria die Stadtrechte erhielt, oder der aufwendig restaurierte St. George's Market von 1896, die älteste Markthalle Irlands überhaupt – Belfast hat sich zur Boomtown entwickelt.

Belfast-Blues

Wäre da nicht die Erinnerung an die *troubles*. Der Bürgerkrieg in Nordirland hat sich mit bitteren Bildern in die Köpfe gebrannt. Heute aber werden die Vergangenheit und die einschlägigen Viertel bewusst in die Stadtrundgänge integriert. Die irisch-katholische Falls Road, durch die das Kleeblatt weht, gehört ebenso dazu wie die britisch-protestantische Shankill Road mit den Bildern der Queen in den Fenstern. Außerdem ziehen berühmte Persönlichkeiten aus Belfast immer mehr Touristen an. Da ist vor allem ein Weltstar, der zwar im Umgang mit den Medien als schwierig gilt, der seine East-Belfaster Wurzeln aber in großartige Songs umgesetzt hat und seiner Heimat regelmäßig mit Konzerten und Besuchen die Treue hält: Van Morrison, der wohl größte weiße Blues-Musiker aller Zeiten.

Ein Stadtrundgang auf den Spuren von Van Morrison führt durch East Belfast. An einem kalten, grauen Februarmorgen, nein, es regnet einmal ausnahmsweise nicht, vom blauen Himmel aber auch keine Spur. Du schaust aus dem Fenster und spürst, wie das mürrische Gefühl in der Magengegend aufsteigt. Die Geräusche der Heizungsanlage nerven, draußen jagen zwei Polizeiwagen mit Blaulicht und Sirenengeheul über die Dublin Road, und du fragst dich, wann die verschmierten Fenster zum letzten Mal Putzwasser gesehen haben. *Cleaning Windows* heißt ein Song von Van Morrison, der an die Zeit erinnert, als er sich mit Fensterputzen über Wasser halten musste. Es sind diese Inspirationen aus dem Alltagsleben, die er in betörende Songs umgesetzt hat, in Lieder, die wie *No Religion* und *Days like this* zu Hymnen der Friedensbewegung in Nordirland geworden sind.

Im Hof der Elmgrove-Grundschule, die er besuchte, tauchen an den Mauern ganz andere *murals* auf, gemalt von den Kindern. Da ent-

steht es, farbenfroh und friedvoll, das sagenhafte Land Kaledonien mit Schwänen und Prinzessinnen, Feuerdrachen und Zauberern, ein Land, das Morrison mit seiner Musik immer gesucht hat. Ein fast mystischer Platz ein paar Ecken weiter, abseits der Straße im Gebüsch, eine 300 Jahre alte Steinbrücke, ein Bach, ein kleiner Wasserfall, an dem er und seine Freunde im Sommer gespielt haben. In Hynford Street singt er vom Beechie River »across the river where angels dwell«. Sein Geburtshaus in der Hynford Street 125 schmückt eine Plakette, die Straße selbst hat den Charme einer Arbeiter-Reihenhaussiedlung mit bescheidenem Wohlstand. Etwas weiter im Bloomfield Community Center hatte Van Morrison seine ersten Auftritte mit den Monarchs. Im Schnellrestaurant The Bridge bekam er seine Bellie Busters, magenfüllende Pasteten aus Kartoffeln, Zwiebeln und Würstchen, heute noch als »Belfast Pastrie Supper« bekannt. An der alten Eisenbahnmauer vorbei, in *Brown Eyed Girl* als »Rainbow Wall« verewigt, geht es zur Cyprus Avenue. Die imposante Allee hat er oft besungen, lebten doch schon in seiner Jugend hier die Betuchteren, für die er Fenster putzte und die für ihn in einer Traumwelt lebten. Van Morrison geht, wenn er Belfast besucht, lieber ins kleine »Chatter's Cafe« oder ins »Hut« in der Camberlain Street, in dem sich heutzutage der East-Belfaster Arbeiterclub befindet, denn hier trat er einst mit den Four Jacks auf. Dann plaudert er mit den Leuten und verschwindet wieder nach Dublin, Wales oder Kalifornien.

Der schlafende Riese

Auch in East Belfast ist der Fortschritt angekommen, es gibt Zuschüsse, um die Häuser zu renovieren und die alten Traditionen in den Stadtteilen neu aufleben zu lassen. Belfast-Blues in Bloomfield: »When all the parts of the puzzle start to look like they fit ... there'll be days like this«. Schließlich ist man, egal wo man sich gerade befindet, nirgendwo mehr als fünf Minuten von der Natur entfernt. Das Bergpanorama der Belfast Hills hat schon Jonathan Swift zu seinen *Gullivers Reisen* inspiriert. Und tatsächlich, auf dem Weg hinauf zum Belfast Castle, von dem aus man einen wunderbaren Blick über die Bucht und die Stadt hat, erkennt man das Antlitz des schlafenden Riesen, der noch auf dem Rücken liegt. Er wird sich erheben und wie Van Morrison feststellen: »Es gibt eine Menge positiver Energie hier, die Menschen lächeln mehr, scheinen irgendwie glücklicher.«

BELFAST BOY GEORGE BEST

Manche meinen, Fußball sei eine ernsthafte Sache. So ist ein Zitat des legendären Managers des FC Liverpool, Bill Shankley, überliefert: »Einige Leute halten Fußball für einen Kampf auf Leben und Tod. Ich mag diese Einstellung nicht. Ich versichere Ihnen, dass es weit ernster ist.« Was das mit Belfast zu tun hat? Eine ganze Menge: Einer der größten Fußballspieler aller Zeiten, der in East Belfast geborene George Best, ist nicht erst nach seinem Tode zur Integrationsfigur der Verständigung geworden. 35 000 Menschen aller Konfessionen und sozialen Schichten begleiteten den Trauerzug im November 2005, als Best in seiner Heimatstadt beerdigt wurde. Auf dem Platz ein genialer Stürmer, außerhalb kam er zu oft mit dem Leben als erste Pop-Ikone des Profifußballs nicht zurecht. Mit 17 Jahren spielte er für Manchester United, er wurde zweimal Meister und holte 1968 den Europacup. Sein wichtigstes Spiel, den Kampf gegen den Alkoholmissbrauch, hat er leider verloren, er starb mit 59 Jahren in London.

WEITERE INFORMATIONEN

Visit Belfast Welcome Centre,
9 Donegall Square North, Belfast,
Tel. (028) 90 24 66 09,
www.visitbelfast.com
Website: www.belfastcity.gov.uk

Im County Sligo nagt die Brandung unaufhörlich an den Felsen, Steinen und Klippen am Mullaghmore Head. Der ewige Kampf der Elemente kennt keinen Sieger und keinen Besiegten.

Register

Alte Passstraße in den Wicklow Mountains. Das Staigue Fort bei Kenmare stammt aus dem 3. Jahrhundert. Bewegte Auswanderungsgeschichte ist in Cobh nachzuerleben. Fischerboote in Youghal. Die Farmer bei Kilfenora betreiben noch traditionelle Landwirtschaft. Muscheln an der Antrim Coast (v.l.n.r.).

Wenn die Seele zur Ruhe kommt: Abendstimmung am Lettergesh Beach im County Galway.

Die Autoren

Jörg Berghoff, geboren 1954, studierte Kunstgeschichte und Ethnologie, ist Winzermeister und Verlagsbuchhändler. Als freier Autor und Journalist führt er seit 1998 ein Pressebüro. Er unternimmt regelmäßige Reisen nach Irland, Großbritannien, Australien und die arabische Welt. Er lebt mit seiner Familie bei Ansbach. Mehr unter: *www.prberghoff.de*

Hartmut Krinitz, geboren 1961, lebt südlich von Freiburg im Breisgau. Als professioneller Reisejournalist hat er sich auf europäische Themen spezialisiert und bei renommierten Verlagen über 25 Bildbände und mehr als 60 Kalender veröffentlicht. Er präsentiert seine Dia-Multivisionen im gesamten deutschsprachigen Raum und ist Mitglied der renommierten Fotografenagentur laif in Köln, die seine Fotos weltweit bei führenden Magazinen vertritt. Weitere Informationen finden Sie unter: *www.hartmut-krinitz.de*

Dank des Autors:
Der Autor dankt Brenda King (www.failteireland.ie), Judith von Rauchhaupt, Monika Wörmann, Oliver Treptow, Chris Rübel (www.ireland.com) und Beate Berghoff (www.prberghoff.de) für viele Anregungen, Informationen und Unterstützung.

Impressum

Verantwortlich: Susanne Kaufmann, Carola Holzer
Layout und Producing: Roman Bold & Black, Köln
Korrektorat: Dr. Juliane Braun
Umschlaggestaltung: Marcus Taeschner
Repro: LUDWIG:media
Kartografie: Huber-Kartographie, Heike Block
Herstellung: Bettina Schippel
Printed in Italy by Printer Trento

★★★★★

Sind Sie mit diesem Titel zufrieden? Dann würden wir uns über Ihre Weiterempfehlung freuen.
Erzählen Sie es im Freundeskreis, berichten Sie Ihrem Buchhändler, oder bewerten Sie bei Onlinekauf. Und wenn Sie Kritik, Korrekturen, Aktualisierungen haben, freuen wir uns über Ihre Nachricht an Bruckmann Verlag, Postfach 40 02 09, D-80702 München oder per E-Mail an lektorat@verlagshaus.de

Unser komplettes Programm finden Sie unter www.bruckmann.de

In diesem Buch wird aus Gründen der besseren Lesbarkeit das generische Maskulinum verwendet. Weibliche und anderweitige Geschlechteridentitäten werden dabei ausdrücklich mitgemeint, soweit es für die Aussage erforderlich ist.

Textnachweis:
Alle Texte stammen von Jörg Berghoff.

Bildnachweis:
Alle Bilder im Innenteil stammen von Hartmut Krinitz, außer:

Jörg Berghoff:
S. 26, S. 41 o., S. 43 o., S. 60, S. 104, S. 107 u., S. 111 u., S. 121 u., S. 137 u., S. 141 u., S. 145 u., S. 148, S. 159 u., S. 164 o., S. 164 u., S. 165 o., S. 165 u., S. 169 o., S. 183 u.

Bildagenturen:
Shutterstock: S. 53 u., 181 o. (Fearon, M.), 181 u. (fujji), 62 (mathildeb52), 64 o. (Madrugada Verde), 74 u. (Nekrassov, A.), 47 (Pecold), 114 (Rihardzz), 180 (SurangaSL), 182 o. (VanderWolf Images), 140 o. (walshphotos); mauritius images, Mittenwald: S. 127 (age), 59 o. (Alamy/Graham, T.), 122 (Alamy/Stockfolio), 133 (Alamy/Strange, R.), 51 (Delimont, D.), 32 (Scott, D.); Bildagentur LOOK, München: S. 34/35 (SagaPhoto)

Umschlag Vorderseite:
Oben: Nachtblick auf die berühmte Ha Penny Bridge in Dublin, Irland bei Sonnenuntergang (shutterstock/Madrugada Verde)
Unten: Ruine mit einem See in Irland während der goldenen Stunde (shutterstock/Adam Machowiak)
Rückseite:
Oben: Am Lough Arrow kann man über geschichtsträchtiges Gelände wandern;
Unten, v.l.n.r.: Wanderungen mit herrlichen Ausblicken führen rund um die Seen; Mitreißende Musik in den Pubs; Bunte Pub-Parade in Brandon

Seite 2/3: Rosa blühen die Strandnelken auf den Cliffs of Moher, County Clare.
Seite 190/191: Das Dorf Allihies auf der Beara-Halbinsel

Die Deutsche Nationalbibliothek verzeichnet diese Publikation in der Deutschen Nationalbibliografie; detaillierte bibliografische Daten sind im Internet über http://dnb.d-nb.de abrufbar.

ISBN 978-3-7343-1867-2
Originalausgabe mit dem Titel »Highlights Irland«,
ISBN 978-3-7654-5214-7 © 2010

EBENFALLS ERSCHIENEN

ISBN 978-3-7343-1608-1

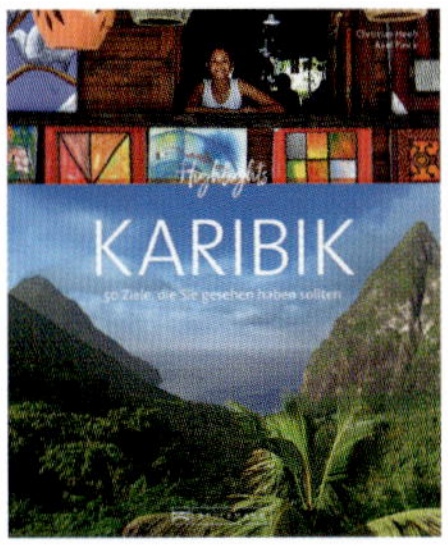

ISBN 978-3-7654-4869-0

ISBN 978-3-7343-0871-0

ISBN 978-3-7343-0332-6

ISBN 978-3-7343-1031-7

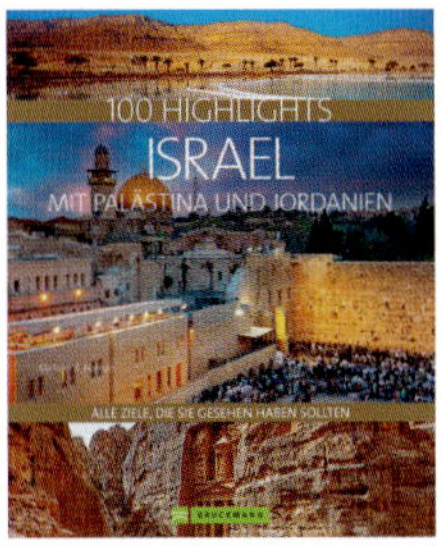

ISBN 978-3-7343-1656-2

ISBN 978-3-7343-1028-7

ISBN 978-3-7343-1318-9

100 Highlights Afrikas Süden
978-3-7343-1033-1

100 Highlights Australien
978-3-7343-2391-1

100 Highlights Deutschland
978-3-73433-0147-6

100 Highlights Englands Süden
978-3-7343-0650-1

100 Highlights Europa
978-3-73433-0146-9

100 Highlights Kanada
978-3-7654-8780-4

100 Highlights Neuseeland
978-3-7343-2394-2

100 Highlights New York
978-3-7343-0797-3

100 Highlights Skandinavien
978-3-7343-0652-5

100 Highlights Südamerika
978-3-7343-0651-8

100 Highlights Südostasien
978-3-7343-0659-4

100 Highlights USA
978-3-7654-8227-4

Deutschlands Welterbe
978-3-7343-1175-8

Highlights Andalusien
978-3-7654-5599-5

Highlights Antarktis
978-3-7343-0857-4

Highlights Bali
978-3-7343-2393-5

Highlights Bretagne u. Atlantikküste
978-3-7343-1032-4

Highlights Chile · Argentinien
978-3-7654-6031-9

Highlights Costa Rica
978-3-7343-0858-1

Highlights Gardasee
978-3-7654-6772-1

Highlights Hurtigruten
978-3-7343-0616-7

Highlights Iran
978-3-7343-0663-1

Highlights Island
978-3-7654-6497-3

Highlights Japan
978-3-7654-6495-9

Highlights Kambodscha Laos
978-3-7343-0664-8

Highlights Kreta
978-3-7654-8374-5

Highlights Kuba
978-3-7654-5596-4

Highlights Madeira
978-3-7343-0927-4

Highlights Marokko
978-3-7654-8783-5

Highlights Namibia
978-3-7654-5143-0

Highlights Nordsee
978-3-7343-0649-5

Highlights Norwegen
978-3-7654-4827-0

Highlights Oman m. Dubai u. Abu Dhabi
978-3-7343-1672-2

Highlights Peru
978-3-7654-5436-3

Highlights Portugal
978-3-7654-5533-9

Highlights Provence
978-3-7343-1030-0

Highlights Sizilien
978-3-7654-5880-4

Highlights Sri Lanka
978-3-7343-0859-8

Highlights Südafrika
978-3-7654-6496-6

Highlights Tibet
978-3-7343-2392-8

Highlights USA Der Westen
978-3-7654-5758-6

Highlights Vietnam
978-3-7654-5144-7

ISBN 978-3-7343-1089-8

BRUCKMANN

www.bruckmann.de